Le plus beau métier du monde

Je suis vigneron

Marc Hervelin

Remerciements

Philippe ANTOINE, viticulteur à 55 Saint-Maurice-sous-les-Côtes.
Yves BOUÉ, viticulteur au domaine de Fallot, 33 Plassac.
Jean-Paul BOUGÈS, viticulteur à 33 Camiran.
Jacques CAILLOT, viticulteur à 21 Pommard.
Georges CHEVALIER, viticulteur à 21 Ladoix.
Charles CHEVALLIER, directeur technique du château-Lafite-Rothschild, 33 Pauillac.
Yves CHOPIN, viticulteur à 21 Comblanchien.
Georges CLOT, maître de chais, et Dominique JOUSSON, cognac Rémy-Martin, 16 Cognac.
Michel DUGELAY, viticulteur aux Vignes de Bois-Dieu, 69 Belleville.
Paul DUMAIN, château-Vieux-Bertin, 33 Montagne.
Myriam HUET, œnologue au Club français du vin, 75 Paris.
Nicolas JOLY, viticulteur à La Coulée-de-Serrant, 49 Savennières.
Pierre LURTON, directeur technique du château-Cheval-Blanc, 33 Saint-Émilion.
Olivier POUSSIER, vice-meilleur sommelier du monde, Maison Lenôtre, 75 Paris.
Jean-Claude et Vincent RENOIR, producteurs de champagne à 51 Verzy.
Jacques TACHOU, cave coopérative à 33 Listrac-Médoc.

Directrice de collection : Dominique Sicot
Maquette : Orion
Photo de couverture : B.I.V.B.

29, bd Latour-Maubourg, 75340 Paris Cedex 07
ISBN : 2-204-05792-4
ISSN : 1275-3785

Impression et reliure : Pollina s.a., 85400 Luçon
N° d'impression : 73256_B

Sommaire

Introduction

Du Nord au Sud, de l'Est à l'Ouest, il semble difficile de trouver un vigneron malheureux. Dépositaires d'une tradition séculaire, producteurs d'un produit prestigieux, les viticulteurs aiment la vie qu'ils mènent. Quelques-uns l'ont totalement choisie; pour la plupart, c'est la tradition familiale qui a déterminé leur orientation; quelques autres, et non des moindres, ont été rattrapés par leurs racines, ou plutôt par celles de leur terroir, tel Pierre Lurton qui voulait devenir médecin et dirige aujourd'hui un des plus prestigieux châteaux du Bordelais.

Amoureux de la nature, grands connaisseurs des sous-sols, travailleurs infatigables, leur vie représente une trentaine de cycles de production, à l'issue desquels ils souhaitent passer le flambeau à leurs enfants à qui ils ont transmis une connaissance efficace mais souvent impalpable, de ces connaissances que l'on acquiert au fil des ans par une lente pratique et qu'aucun livre n'est en mesure de transmettre.

Le vigneron regarde vers le ciel qui peut lui apporter heurs ou malheurs, mais il a également les yeux tournés vers sa terre. Face à cette dernière, le plus grand vigneron reste humble, il sait que c'est son terroir qui est le principal artisan de son vin. Ce sont des siècles d'évolution qui ont fait la spécificité de ces sols, et le travail du vigneron consiste à en tirer parti, sans aucune possibilité de le changer. Le vigneron est tributaire des éléments naturels, l'eau, l'air, la terre.

Une fois la vendange rentrée, il écoute chanter ses cuves, il sait qu'à l'intérieur, le vin commence à vivre et qu'une multitude de phénomènes sont à l'œuvre. Pas une journée sans qu'il ne pense ou ne passe à sa cave. Puis, près de deux ans plus tard, le vin arrive dans les bouteilles et c'est la récompense de son travail. Que l'année ait été bonne ou mauvaise, le bon vigneron doit avoir composé au mieux avec l'ensemble des contraintes auxquelles il a été soumis. C'est à ce prix qu'il n'aura pas à rougir du produit qu'il présente.

Le vigneron passe une partie de son temps dans la nature qu'il façonne. Libre de ses horaires, il est souvent tôt levé. Il peut passer des heures dans sa cave à parler de son vin ou à raconter quelques anecdotes sur les années passées. Il a le plaisir de penser que son vin apparaîtra peut-être sur les tables les plus raffinées. Parfois fortuné, il mène la vie sans ostentation de celui qui aime son métier, métier qui lui apporte chaque jour de multiples satisfactions. Pour preuve, intarissable sur les grands bonheurs de son métier, il lui est bien difficile d'en trouver les petites peines.

Le vigneron est avant tout un agriculteur. Il est même le plus agriculteur des agriculteurs. Son activité est complètement tributaire de sa terre, de son terroir. Même s'il lui est possible d'amender son exploitation chaque année, il ne peut agir sur son sous-sol, et c'est là que la vigne vient chercher ses caractéristiques, au plus profond de la terre. Les vignerons du Médoc l'ont bien compris lorsque, lors d'une campagne de publicité, ils montraient une boule de terre caillouteuse et écrivaient sur les affiches géantes « cette terre que le monde entier nous envie ». En effet, ce n'est pas le raisin qui fait le vin, c'est en premier lieu la terre avec ses caractéristiques héritées de la préhistoire. Ce sont des millénaires d'évolution géologique qui font la qualité exceptionnelle de certains vins français.

Les cépages sont partout les mêmes et le vigneron, qu'il soit grand château du Médoc ou producteur d'un vin de pays dans les côtes de Meuse, valorise son terroir, en tire le meilleur, sans pouvoir en modifier les qualités profondes. « Un grand terroir fera forcément un grand vin », dit Pierre Lurton, grand connaisseur des sous-sols du Bordelais et directeur du château-Cheval-Blanc, grand cru classé de saint-émilion.

Cette donnée caractéristique et incontournable donne à tous les vignerons une certaine humilité lorsqu'ils expriment le « don gratuit de la nature ». Tous aiment aller visiter leur terre, « se mirer » dans leurs vignes. Ils aiment quitter le bureau prestigieux du château ou la ferme austère pour arpenter leur domaine.

Mais le vigneron est un agriculteur particulier. Quelques jours d'un climat défavorable à un moment crucial, et la qualité du vin est compromise. Rigueur extrême du temps, et ce peut être une « année blanche ». Et il ne cherche pas à produire en grande quantité, le souci de la qualité seul importe et le travail de la vigne consiste à obtenir cet équilibre, en limitant la quantité de raisin produit. Plus la vigne est vieille, meilleure est la qualité du raisin, donc meilleur sera le vin...

Une année ordinaire

C.I.V.B. Bordeaux

Le travail du vigneron n'a pas un rythme journalier réglé. Son activité s'étend sur toute l'année. Une partie se déroule dans le vignoble et l'autre partie se fait en cave. La première a pour but d'amener la vigne à donner une matière première de qualité : c'est la « conduite de la vigne », la seconde doit transformer le raisin en vin : c'est la vinification.

De plus en plus, cette activité proprement viticole s'accompagne d'une fonction de commercialisation, afin de tirer le meilleur parti de l'année de travail. Le vigneron est aussi astreint à des tâches de gestion, il doit connaître la réglementation en vigueur, même si ce ne sont pas ces activités qu'il prise le plus. Pas de journée ordinaire pour le vigneron, ni même d'année ordinaire. On a coutume de dire qu'un maître de chai connaît un seul grand millésime au cours de ses quelque trente ans de carrière. Le travail du vigneron s'étale donc sur une vie entière, au cours de laquelle bien peu de choses lui paraîtront ordinaires.

Les vignerons considèrent la vendange comme « une récompense », le cycle commencerait donc avec la taille. Mais lorsque cette dernière débute, préparant la vendange prochaine, le vin est déjà dans les fûts pour l'élevage. Les activités de deux cycles annuels se chevauchent.

On trouve des vignerons aux quatre coins de la France, mais qu'il soit d'un grand cru du Médoc, d'un village des côtes de Meuse, de Bourgogne ou d'Alsace, ou un producteur de champagne, ce qui caractérise le vigneron c'est sa passion, passion de faire un vin qui soit de la meilleure qualité possible, un vin dont il soit fier.

Quelques chiffres

Le fléau du phylloxéra, en 1852, a détruit les deux tiers du vignoble français qui est passé de 2,5 millions d'hectares à 818 0 00. Il produit actuellement 50 millions d'hectolitres contre 60 millions à cette époque. Il est le troisième vignoble du monde par sa superficie après l'Espagne et l'Italie, qui exploitent respectivement 1,3 et 1 million d'hectares.

L'INAO, Institut national des appellations d'origine, a été créé en 1935. Il gère les appellations d'origine contrôlées qu'il a créées et qui sont au nombre de 420.

La production de vin d'appellation représentait 2,5 millions d'hectolitres en 1939, 8 millions en 1955, 14 millions en 1975 et 25 millions aujourd'hui. Soit environ la moitié de la production française.

En France, les vins AOC sont produits par 80 000 vignerons.

En 1970, le pays comptait 300 000 hectares de vigne en appellation, le chiffre est passé à 420 000.

Entre 1970 et 1990, la superficie des vignes du Médoc a été multipliée par 2.

Parallèlement, la qualité a augmenté, le vin calorique qui nourrissait le travailleur de force a disparu.

On peut donc dire que les Français boivent moins, mais mieux !

Les vendanges

À la fin du mois de septembre, quand la nature, à l'arrivée de l'automne, jaunit et s'endort, les vignobles de France sont gagnés par l'effervescence. Peu après le lever du soleil, voitures, camionnettes, autocars pour les plus grandes exploitations, y déposent les vendangeurs chargés de récolter les précieux fruits. Des tâcherons, venus parfois de toute la France, installent leurs campements à proximité des vignes et des villages, dont la population augmente soudain.

Chaque matin et à la première menace, chacun interroge le ciel. Le vendangeur craint la pluie qui alourdit le sol, s'immisce, par l'intermédiaire des feuillages, à l'intérieur des cirés et transit tout le monde. Le vigneron, lui, sait qu'une pluie persistante gorgera le raisin d'eau et fera descendre le niveau de sucre dans le jus, donc le degré d'alcool. L'humidité, si le temps est chaud, accélère le pourrissement du fruit, ce qui n'est pas bon non plus pour la vinification. Les conditions climatiques sont importantes jusqu'au dernier moment.

Le signal du début des vendanges est donné par les vignerons du village chargés de surveiller le degré de maturité du fruit et, quoi qu'il arrive, dans quelques jours, les tonnes de raisin que portent les vignes seront passées par le pressoir, transformées en jus et stockées dans les caves pour y être traitées par le vigneron. Vendangeurs, débardeurs, pressureurs, cuisiniers, chacun doit être à son poste car du bon déroulement d'une opération dépend le succès de la suivante.
À Verzy, en Champagne, le « marc », c'est-à-dire un cycle de pressurage, nécessite 4 tonnes de raisin, qui donneront 2 550 litres de jus. L'opération dure trois à quatre heures. Les 80 à 90 paniers de raisin nécessaires à chaque marc doivent être prêts à temps. Autour du pressoir, c'est le calme avant la tempête, on n'attend plus que le patron qui, à l'aide d'une calculette, va vérifier et comptabiliser le poids de raisin. Soudain, le rythme s'accélère : les deux débardeurs acheminent les caisses deux par deux, les deux chargeurs les vident dans le pressoir, et l'étaleur égalise le raisin. En moins de quinze minutes, le pressoir est rempli. Les *volets* de bois sont rabattus, calés, et le compresseur hoquette en comprimant le piston qui, doucement, presse le grain qui éclate et libère son jus. Pendant que la machine travaille, le calme revient pour les hommes. En experts, les pressureurs évaluent le nombre de *retrousses* nécessaires pour

© Philippe Roy / C.I.V.B. Bordeaux

exprimer les 25 hectolitres. Il y en aura trois : la *cuvée*, la *première taille*, et la *deuxième taille*. On a un peu de temps pour se donner des nouvelles, pour évoquer les vendanges passées, car la plupart des vendangeurs sont des fidèles qui sont au rendez-vous chaque automne. « Tu te souviens, y a de ça trois ans... » On se roule une cigarette de gris en goûtant volontiers la récolte des années précédentes. Jean-Claude, le « patron », est toujours prêt à aller chercher un « obus » pour remettre un « quart de demi-fond » à chacun...

Le soir, lorsque l'on s'arrête, le pressoir et les locaux débarrassés du moindre pépin, les déchets de raisin déchargés à la sortie du village où les prendront les distillateurs, les paniers de raisin prêts pour le « marc de 6 heures », tout le monde se retrouve dans la petite salle attenante, autour d'un « ratafia ». Malgré la fatigue, la bonne humeur est générale, on a tellement d'histoires et de souvenirs à se raconter !

Après la toilette, rendez-vous dans la salle à manger pour le dîner en commun. La « patronne » assure le couvert pour les trente garçons et filles de l'équipe. Et personne n'a à se plaindre, ni de la quantité, ni de la qualité. Une petite pharmacie est même là pour les aigreurs d'estomac de l'un, les douleurs de reins de l'autre ou le rhume du troisième. Le lendemain, à 6 heures, personne ne manquera à l'appel. Le casse-croûte sera prêt et l'odeur du « jus » aura envahi les bâtiments : le patron, de mémoire d'homme, a toujours été le premier levé! Et les fils, Vincent, comme le saint patron des vignerons, et Jean-Michel, devront s'en souvenir, quand ils prendront la relève !

À Yquem, lorsque tout le monde a rentré sa vendange, la récolte est encore dehors et Alexandre de Lur-Saluces attend que ses raisins soient botrytisés*. C'est à ce prix que l'un des vins les plus prestigieux du monde verra le jour. Ici, d'ailleurs, on ne parle pas de vendanges mais de « tries », c'est-à-dire de récoltes successives, jour par jour et grain par grain, afin d'obtenir une matière première idéale. Du fait de cette récolte tardive, encore plus que pour les autres vignerons, la pluie, qui gorge le raisin d'eau et fait chuter sa concentration en arôme et en sucre, constitue une menace constante.

* Le château-Yquem est un vin blanc liquoreux élaboré à partir de raisins sur lesquels s'est développé un champignon, le *Botrytis cinerea*, qui le couvre d'une pourriture qualifiée de noble.

La taille : maîtriser la plante

La taille est le départ du cycle de l'activité annuelle du vigneron. C'est par elle que le vigneron détermine la quantité de fruit que la vigne va produire, qu'il assure la qualité du raisin en déterminant l'exposition solaire, qu'il prépare la vendange et qu'il modèle sa vigne au fil des années. Yves Chopin, viticulteur à Comblanchien, considère que « de la taille dépendent tous les travaux de l'année et dépend même la forme du pied ».

Peu après la fin des vendanges, le travail reprend dans les vignes avec la taille d'hiver, et il durera jusqu'à la prochaine récolte. En fonction de la météo, le vigneron alterne le travail à l'extérieur, dans les vignes, et le travail en cave, mais toutes les opérations de taille doivent être terminées pour le printemps.

La vigne est une liane sauvage, et au fil des siècles, l'homme a travaillé cette plante. Dans un premier temps, il a exploité sur place les espèces les plus productives, sous forme de buissons ou de treille qu'il taillait. Il est alors devenu agriculteur, il a domestiqué les plants et les a regroupés dans des champs qui sont devenus les vignobles. Deux grands types de vignes et de tailles sont issus de cette évolution : la vigne en gobelet, plus courte et qui résiste mieux au vent, et la vigne palissée. La première, du type Beaujolais, pousse sans support, la seconde s'accroche à des fils de fer qui courent le long de piquets et est donc plus haute. Le premier type de culture interdit ou rend très difficile la mécanisation de l'entretien de la vigne, le second le permet grâce au progrès du matériel. Mais les vignobles les plus prestigieux recourent toujours au travail humain pour l'ensemble des opérations. Les machines ne sont pas encore capables, contrairement à d'autres domaines, de remplacer le savoir-faire humain dans l'élaboration d'une vendange de qualité.

© Thierry Gaudillèze

Lors de la taille, le vigneron supprime les anciennes branches et laisse une longueur de bois de quelques centimètres, le « courson » en Beaujolais, qui porte le bourgeon, d'où, au printemps, repartira une nouvelle branche. Dans le Beaujolais, chez Michel Dugelay, « pour pouvoir terminer début avril, il ne faut pas prendre de retard : 6 hectares de Bois-Dieu représentent 1 200 000 coups de sécateur ».

Ensuite, il faudra « tirer les bois », c'est-à-dire dégager les branches coupées. Cette opération est traditionnellement réalisée par les femmes des vignerons. Les « bois » seront, selon les régions, brûlés sur place, ce qui permet de détruire d'éventuelles maladies, ou laissés sur le sol pour lutter contre l'érosion des terres par la pluie, ou encore déchiquetés et intégrés à la terre comme apport d'humus. La vigne apparaît alors noire, dévastée, elle « pleure ».

Au printemps, elle se met à « briller », c'est la montée de la sève et le « débourrage » des bourgeons qui donneront la branche porteuse de la nouvelle vendange. Sortie de sa léthargie hivernale, la plante va grandir et le vigneron doit alors accompagner cette évolution par différentes tâches, c'est la « taille en vert » : l'« épamprage » consiste à supprimer les branches stériles qui mobilisent l'énergie de la plante sans profiter aux fruit; le « rognage » a pour but de supprimer une partie des feuilles afin que le soleil puisse bien gorger les fruits. Et au cours du « relevage », le vigneron rattache les fils de fer qui ont été « dégrafés » pour la taille et gisent au sol. Ainsi relevées, les grappes seront aérées et éviteront la pourriture, grande ennemie du vigneron.

Mais ce n'est pas seulement la vigne qui est revenue à la vie, et il faut penser à désherber le pied et le rang. La vigne doit être propre. Il faut entretenir les fossés, les écoulements et surveiller les fruits.

B.I.V.B.

Les mystères de la fermentation

Le travail en cave se divise en deux étapes : les deux fermentations et l'élevage. C'est sans doute en matière de fermentation que l'élaboration du vin a connu sa plus grande évolution. En effet, jusqu'à une époque récente, le vigneron « laissait faire la nature », et c'est de cette dernière que dépendait la qualité du vin. L'ignorance scientifique laissait place au fatalisme. Mais les vins ne duraient guère et souvent la « soudure » était difficile d'une récolte à l'autre.

Les fermentations durent peu de temps mais elles doivent être minutieusement maîtrisées. De la première dépendent le degré d'alcool et le développement des arômes, tandis que la seconde supprime l'acidité du vin et conditionne sa longévité.

« Ce ne sont pas les hommes des métiers du vin, si ingénieux soient-ils, qui ont fait avancer l'œnologie, ce sont les savants dans leurs laboratoires. » C'est en effet Pasteur qui découvrit en 1857 les agents des fermentations, levures et bactéries. C'est lui également qui démontra que ces agents sont présents dans les poussières de l'air et ne se déposent sur les baies qu'au moment de la maturité. Il mit aussi en évidence la responsabilité des microbes dans la dégénérescence du vin.

La première fermentation est la fermentation alcoolique. Elle débute dès que les levures qui se sont développées sur la peau du raisin sont en contact avec le jus sucré. Ceci explique que le fruit doit être conservé intact jusqu'à son arrivée dans les cuves. Par un processus chimique, les levures vont transformer le sucre en éthanol (l'alcool du vin) et être tuées par ce dernier. Deux conditions sont nécessaires à la réalisation du processus : la température et l'oxygénation. La première doit être de 15 °C minimum pour que la fermentation débute, mais elle ne doit pas dépasser les 35 °C. Or cette fermentation provoque un dégagement de chaleur et le vigneron doit veiller à maintenir sa cuve dans cette fourchette de températures, en la chauffant au départ si besoin est, puis en la refroidissant en cours de fermentation. La surveillance est nécessaire en permanence. Quelque temps après la fin de la fermentation alcoolique, entre quelques jours et deux mois, commence la fermentation malo-lactique.

Difficile à maîtriser, cette seconde fermentation est un souci pour le vigneron qui l'attend. Elle va transformer l'acide malique en acide lactique, le degré d'acidité du second étant inférieur à celui du premier. Inconnu jusqu'aux années soixante, son déroulement fait aujourd'hui l'objet d'une vérification avant la mise en bouteille du vin, afin d'éviter qu'elle ne se produise lors du réchauffement de la bouteille et ne dégrade la qualité du vin. La fermentation malo-lactique a plusieurs avantages : elle diminue l'acidité du vin et le rend donc plus agréable, elle fait apparaître de nouveaux arômes, elle stabilise le vin et permet son vieillissement dans de bonnes conditions.

L'élevage du vin

Une fois la fermentation passée, le vin va subir certaines manipulations dans la cave ou dans le chai. Il est d'abord « soutiré », c'est-à-dire qu'il est transvasé régulièrement d'une cuve à une autre. Cette opération permet d'éliminer les matières qui sont encore présentes dans le vin et qui se déposent au fond de la cuve. Différentes techniques sont utilisées pour récupérer le vin et laisser la lie dans le récipient vinaire. Le niveau d'écoulement du liquide par gravité ou par pompage doit se situer au-dessus du niveau des lies. Deux autres opérations permettent d'accroître la limpidité du vin et d'éviter les dépôts ultérieurs, le filtrage et le collage. Le premier consiste à faire passer le vin dans un filtre, dont certains sont si fins qu'ils permettent d'éliminer les levures et les bactéries. Le second consiste à mettre dans le vin du blanc d'œuf, ou parfois de la bentonite, une terre argileuse, qui va précipiter avec les particules en suspension et les entraîner vers le fond ; on pratique ensuite un soutirage et les matières sont éliminées du vin. Le collage au blanc d'œuf est connu depuis l'Antiquité, alors que le collage à la bentonite est une pratique plus récente. L'opération terminée, la substance qui a permis de supprimer les matières disparaît entièrement.

© Philippe Roy / C.I.V.B. Bordeaux

Le collage au blanc d'œuf frais battu n'est plus utilisé que par les grands crus. En effet, le nombre d'œufs nécessaire, 5 à 8 par barrique, et la main-d'œuvre que cette technique implique, la rendent très onéreuse.

Certains vins, après être passés par les cuves pour la fermentation alcoolique, vont séjourner dans les tonneaux ou barriques pour être « élevés ». Le vigneron doit alors régulièrement pratiquer l'« ouillage ». Cette opération consiste à compléter avec le vin d'une autre barrique les tonneaux qui perdent une partie de leur contenu du fait de l'évaporation, et de la porosité des barriques. En effet, qu'il soit élevé en barrique ou conservé dans des cuves, le vin ne doit pas rester en contact prolongé avec l'air, il s'agit donc de réduire au maximum la surface de contact afin d'éviter l'oxydation. Dans les cuves, le vin est parfois protégé de l'air par un gaz inerte comme l'azote, par un chapeau qui flotte sur la surface du liquide ou par une couche de paraffine. Ces procédés remplacent l'ouillage.

L'ensemble de ces opérations doit être mené avec mesure, le vin est un produit complexe, un filtrage trop fort l'appauvrit, mais un excès de résidu de matière peut provoquer des réactions chimiques provoquant des « maladies » du vin, dont certaines sont fatales au produit. Afin de stabiliser leur vin, certains producteurs le stérilisent par chauffage. Cette opération est radicale quant au risque d'évolution, mais elle dégrade très fortement les caractéristiques du vin et n'est appliquée qu'aux vins de table, de médiocre qualité.

L'assemblage, une opération fondamentale

Lorsque les fermentations ont eu lieu, vient l'époque des assemblages. C'est une opération fondamentale pour les grands vins, elle se fait toujours en équipe et en plusieurs fois. Il s'agit de déterminer la qualité du vin contenu dans les différentes cuves afin de les mélanger le plus harmonieusement possible.

Écoutons Charles Chevallier, directeur technique du château-Lafite-Rothschild : « La dégustation d'assemblages est quelque chose d'extrêmement important, elle se passe en règle générale à partir de fin janvier jusqu'à fin mars, on la fait toujours en plusieurs fois, nous sommes sept ou huit autour de la table. Éric de Rothschild vient toujours, il y a le directeur commercial et financier, mes deux collaborateurs directs, le maître de chai, un œnologue extérieur consultant et moi-même. Nous sommes installés dans la salle d'assemblage, autour d'une grande table sur laquelle sont posés 60 échantillons, et chacun a une feuille de papier, son verre, et goûte, en silence. À la

Domaine de Lafite, le chai réalisé par Ricardo Bofil.

fin de la dégustation, nous échangeons nos commentaires : pour toutes les cuves qui sont très belles, on arrive facilement à l'unanimité et ça fait du Lafite; les cuves moyennes, ça fait du Carruades, et puis, vous avez toutes les cuves qui sont entre les deux. L'un trouve la cuve bonne, l'autre non, elle a un petit défaut d'un côté... Nous échangeons nos idées, et c'est pour cela que nous ne faisons jamais la dégustation d'assemblage seuls, ni en une seule fois. Nous la répétons, car cette cuve qu'un jour j'ai trouvée un peu en bas de l'échelle, la fois suivante, je la trouve un peu mieux, et finalement, sur quatre ou cinq dégustations, nous arrivons à faire une moyenne et à voir où la cuve se situe. Sur le haut et le bas, nous tombons rapidement d'accord. Cette dégustation est passionnante, je pense que c'est un des points extrêmement forts de l'année de production viticole avec la date de vendange et l'assemblage. »

Même émerveillement chez Pierre Lurton qui évoque le moment privilégié de la recherche du « *magic blending* », d'un « effet de synergie » qui fait que la qualité du mélange est supérieure à la somme des qualités des cuves qui le composent.
L'assemblage doit faire ressortir le terroir et le cépage, la main et la technique du vinificateur doit s'effacer devant ces deux éléments qui assurent la spécificité et l'originalité d'un grand vin.

L'assemblage conditionne la qualité du vin mais il conditionne également la rentabilité de l'exploitation. Le souci de la qualité et de la renommée du vin sur le long terme fait passer l'impératif financier de court terme au second plan. Certaines années défavorables, aucun vin ne sort des chais sous l'appellation principale.

Les outils : permanence et tradition

Le vigneron a peu d'outils. Un sécateur lui permet d'assurer la taille. Une brouette lui sert à brûler les « bois ». La tarière fait les trous pour emplacer les piquets qui tiennent la vigne. Bien sûr, certains sécateurs sont pneumatiques, eu égard au nombre de coups à donner, mais ils sont peu répandus ; et il existe des tarières à moteur qui permettent de gagner du temps, mais fondamentalement, les outils ont peu évolué. Quelques machines sont apparues comme le tracteur-enjambeur qui assure, vers juin-juillet, le rognage, c'est-à-dire l'élagage des feuilles afin de favoriser le passage du soleil jusqu'aux fruits. C'est également grâce à lui que le labourage des vignes se fait plus rapidement, autrefois on utilisait le cheval et la charrue. Toutefois, dans certaines vignes implantées en coteau, il est inutilisable, la pente est trop abrupte pour lui assurer une stabilité suffisante.

Au moment des vendanges, sécateurs, caisses et paniers suffisent pour prélever les fruits, même si la machine à vendanger a gagné du terrain du fait de la baisse des coûts de production qu'elle permet.

Pressoir

Et une camionnette acheminera la vendange jusqu'à la cave.

Dans la cave, l'érafloir sert à séparer les grains de raisin des petites branches qui les portent, mais certains vins sont élaborés avec la rafle, comme dans le Beaujolais. Le fouloir souvent combiné avec l'érafloir travaille les grains, afin de permettre au jus de s'exprimer. Le pressoir assure l'extraction complète du jus, il n'est pas employé dans toutes les régions.

La cave est équipée de cuves qui vont recevoir le jus de raisin pour la fermentation. On trouve principalement des cuves en bois, comme c'était le cas autrefois, en ciment recouvert d'une couche de résine, c'est souvent le cas dans les coopératives, ou en inox. Celles-ci sont les plus coûteuses, mais sont considérées aussi comme les plus efficaces. La cave comprend aussi des lieux de stockage qui sont la plupart du temps l'endroit le plus pittoresque parce que le plus ancien et le plus traditionnel : rien ne vaut l'atmosphère d'un vieux chai d'un château bordelais, ou la fraîcheur d'une cave séculaire de Bourgogne pour mesurer le poids de la tradition du métier de vigneron.

Hormis l'apparition de quelques machines et l'utilisation de matériaux plus stables et plus faciles à entretenir, garantie contre les altérations du vin, peu de choses ont changé au fil du temps.

Chez Yves Boué, propriétaire du domaine de Fallot à Plassac (Gironde), le temps semble s'être arrêté. De la vigne au chai, tout est fait selon la tradition la plus ancienne. Pas question de mode ici, pas de filtrage excessif, les bois sont brûlés à même la brouette, la bouillie bordelaise* constitue presque l'unique traitement. Le vin en tonneau est prélevé pour la dégustation par un « tâte-vin », tube de verre que l'on remplit par aspiration puis obstruction d'une extrémité avec le pouce, pour laisser ensuite le vin s'écouler dans les verres dans lesquels on le goûtera.

** La bouillie bordelaise est utilisée pour combattre le mildiou, champignon parasite de la vigne. Elle est constituée de sulfate de cuivre et de lait de chaux.*

Traiter ou ne pas traiter

« Il y a dix, quinze ans, on traitait au "bazooka", dit Charles Chevallier de Pauillac, mais aujourd'hui on s'oriente vers moins de chimie. »

Un autre vigneron nous confie : « On commence à travailler avec les fournisseurs de produits phytosanitaires sur des cahiers des charges de lutte raisonnée. Le fournisseur aujourd'hui vend des produits mais aussi un concept d'utilisation, que l'on construit avec lui mais aussi avec l'INRA, avec le service de la protection des végétaux limiter tout ce qui est risque de résidus dans le vin, mais aussi pour avoir un coût inférieur. Aujourd'hui, par rapport à ce que l'on faisait il y a dix ans, on doit pouvoir réduire les intrants de 40 à 50 %, en étant plus précis sur les méthodes, les dates d'application, les dosages, en observant la faune auxiliaire. On ne fait jamais un traitement sans le justifier. »

La lutte raisonnée consiste à ne traiter que lorsque la situation l'exige et non plus de façon préventive et massive. On utilise également la faune auxiliaire, c'est-à-dire que l'on ne traite un prédateur de la vigne que si l'on ne constate pas la présence de prédateurs de ce prédateur. Par exemple, on ne traitera pas l'apparition de pucerons si l'on détecte la présence d'araignées, qui les détruisent : cette technique exige une observation et un comptage minutieux des insectes sur la plante.

Certains vignerons ont adopté la culture biologique, ils n'utilisent aucun produit chimique dans la culture et l'élaboration de leur vin, c'est le cas d'une partie du domaine de la Romanée-Conti qui est sans doute le vin le plus cher du monde : l'équivalent d'un SMIC la bouteille, mais la production est très limitée, de l'ordre d'un hectare.

D'autres encore vont plus loin. C'est le cas de Nicolas Joly ou de Jean-Pierre Fleury, qui ont adopté la méthode bio-dynamique. Ils s'élèvent avec passion et enthousiasme contre les fertilisants, les pesticides et les fongicides rendus nécessaires par une culture inappropriée et qui dénaturent le sol pour assurer les rendements.

Nicolas Joly, dans son domaine de La Coulée-de-Serrant à Savennières, en Maine-et-Loire, recrée, loin de tout traitement chimique, une culture en harmonie avec la terre et l'atmosphère. Il soutient ainsi l'originalité et la vie de son terroir, presque en autarcie, et produit un vin qui, au dire des spécialistes – comme David Ridgeway, sommelier de *La Tour d'Argent* – est d'une qualité exceptionnelle. La biodynamie repose sur l'harmonie entre la terre et le système solaire qui lui insuffle la vie, elle aide la plante à se nourrir de lumière et de chaleur en favorisant la photosynthèse, et permet aux racines de mieux s'imprégner de l'originalité du sol.

Les techniques culturales évoluent et par là même la qualité du produit. Agréable au goût, le vin devient également bon pour l'organisme.

L'amélioration du vin

En début de fermentation, du sucre est ajouté au jus de raisin. Cet apport, strictement déterminé par la loi, permet d'intervenir sur le degré d'alcool, c'est en effet la transformation du sucre par les levures qui produit l'éthanol, alcool naturel du vin. Lorsque, pour des raisons climatiques, le raisin n'est pas assez sucré, l'ajout de sucre permet d'obtenir le degré désiré. Une levure nécessite 17 grammes de sucre par litre pour faire un degré d'alcool. Pour un vin à 12°, il faut donc plus de 200 grammes de sucre.
La vendange est également « sulfitée », c'est-à-dire que l'on y ajoute du soufre (anhydride sulfureux) en début de fermentation pour inhiber les bactéries, le temps que les levures se développent. Le soufre a également des propriétés anti-oxydantes. Le vin est en effet sensible à l'oxygène contenu dans l'air, il risque de s'oxyder et de perdre ses qualités aromatiques. On ajoute également du soufre en fin de fermentation pour ses propriétés anti-bactériennes. Cette substance s'élimine ensuite, on ne la retrouve pas dans le vin lors des analyses.
Le viticulteur peut ajouter certaines levures si la fermentation ne débute pas de manière naturelle.

Les protéines utilisées pour le collage sont d'origine naturelle, blanc d'œuf par exemple, elles sont comme le soufre totalement éliminées.

Les vins de qualité moyenne, destinés à être bus rapidement, peuvent être pasteurisés, c'est-à-dire chauffés à 60 °C pendant dix minutes. Ce traitement élimine les micro-organismes et permet au vin de résister à des manipulations négatives comme le transport.

Ces traitements ont pour but de stabiliser le vin et non pas de cacher des défauts.

Le secret des fûts de bois

Après avoir fermenté quelques semaines dans des cuves d'inox ou de béton, le vin va être élevé en fûts. Ces fûts de chêne sont commandés par les vignerons à des tonneliers. Lors de leur fabrication, ils font l'objet d'un brûlage : la face intérieure des douelles, ces lattes qui, une fois cintrées, forment le corps du tonneau, est exposée au feu. Cette opération particulière donne au vin un arôme supplémentaire, de fumée, pain grillé, caramel, café torréfié...

Les producteurs les plus prestigieux changent leurs tonneaux chaque année malgré le coût de ces derniers (2 000 à 4 000 francs pièce). Château-Pétrus va même jusqu'à détruire ses tonneaux à la fin de la vinification, lorsque le vin est mis en bouteille, afin que les concurrents ne puissent pas percer une partie de ses secrets de qualité. Mais ceci reste l'exception, et bien des vignerons ne changent leurs fûts que tous les cinq ou dix ans, par roulement. Les plus humbles rachètent les fûts usagés des grandes maisons. Cet achat représente pour les viticulteurs un investissement important, et certains renvoient les fûts endommagés à leur fabricant, afin que celui-ci les répare.

© Serge Bois-Prevost

Contrairement à ce que l'on pourrait penser, c'est le fût jeune qui apporte plus au vin qu'il contient, il lui transmet des tannins et des arômes, le vieux fût n'a plus rien à apporter. Mais cet apport n'est adapté qu'à des vins de caractère. Un vin ayant peu de personnalité se laissera dominer par le « boisé » et perdra tout caractère. Et c'est pourquoi il peut être aussi tout à fait raisonnable de garder longtemps ses tonneaux ou d'acquérir des pièces déjà utilisées afin de préserver la typicité de son produit.

La fabrication du tonneau obéit à une technique particulière. Elle est pratiquée chez Seguin-Moreau, la tonnellerie du groupe Rémy-Martin, la plus grande d'Europe. Celle-ci représente à elle seule le quart de la production française, la moitié étant destinée à l'exportation. Le bois vient du Limousin, des Vosges, mais aussi des États-Unis, de Russie... Cependant, le plus prestigieux est fourni par les chênes centenaires de la forêt de Tronçais. Le bois, débité en douelles, vieillit trois ans à l'air libre. Lors de la préparation, on écarte toute douelle qui présente la moindre trace de métal, clou ou plomb de chasse, qui risquerait d'apporter au vin un arôme métallique négatif. L'assemblage des douelles, qui exige une habileté étonnante, ne s'effectue qu'avec des produits naturels et neutres pour le vin : la pâte à pain sert de colle et les joints sont en jonc. Des cercles de fer servent à maintenir l'ensemble mais ne sont pas en contact avec le vin. Une fois terminé, le fût est mis sous pression de vapeur d'eau afin de vérifier qu'il est complètement hermétique. C'est ensuite seulement qu'il est expédié chez le client.

Si certains vins légers ne passent même pas par les fûts et vont directement de la cuve à la bouteille, le tonneau apporte aux grands vins un supplément de qualité irremplaçable.

La vie du bouchon après l'embouteillage

Le bouchon constitue une pièce beaucoup plus importante qu'il peut d'abord y paraître. Lorsque l'on sait qu'au château Lafite-Rothschild, on trouve des bouteilles datant de la fin du XVIIIe siècle, on comprend que la qualité du bouchon conditionne celle du vin. Un vin « bouchonné » est impropre à la consommation et cela peut arriver aux meilleurs vins.

Le bouchon constitue donc un souci pour le vigneron car, à long terme, c'est la satisfaction du client qui est en jeu et de là, sa propre renommée. Un bon bouchon doit être souple et élastique pour fermer hermétiquement la bouteille et empêcher l'oxydation par l'air. La bouteille doit être couchée, cela permet au bouchon de rester humide et d'assurer ainsi son étanchéité. En cas de défaut, la bouteille est « couleuse », le vin s'échappe et l'oxygène entre dans la bouteille. Le vin est altéré, il a un « goût de bouchon » bien que ce ne soit pas le bouchon lui-même qui confère ce défaut au vin, mais la moisissure et la présence d'oxygène. Les vieilles bouteilles de valeur, dont le bouchon est abîmé, peuvent être reconditionnées par leur producteur d'origine avant que le vin ne soit altéré.

« Nous avons souvent des problèmes de bouchons. Cela vient de plusieurs choses. D'une part, il se met beaucoup plus de vin en bouteille qu'avant. Et d'autre part, tous les bouchons de mauvaise qualité qui autrefois servaient à boucher l'huile par exemple, pour laquelle on utilise aujourd'hui des capsules, il faut bien en faire quelque chose. Il y a aussi les zones de bon liège et de mauvais liège. Si l'on vous met 10 % de mauvais liège dans une balle de bouchons, vous ne pouvez pas le voir. On a eu des problèmes de bouchons et on a dû déboucher 2 000 bouteilles d'aligoté. On a passé un arrangement à l'amiable avec le fournisseur suisse. Mais un vin qui a été rebouché n'est jamais à son meilleur niveau. »

Georges Chevalier de Ladoix.

Yves Chopin, viticulteur à Comblanchien, reconnaît que le bouchon est un souci « même en y mettant le prix ». « Lorsqu'une bouteille est couleuse, il faut s'assurer que le vin n'a pas été oxydé, mais les problèmes de goût sont irrémédiables. Si le vin est bouchonné, c'est fini, tout le travail est mis à mal! Le liège est un élément neutre, mais il y a une pénurie de matière première, les producteurs devraient laisser sécher le liège deux ans, mais aujourd'hui ils l'étuvent, et la qualité s'en ressent. »

Le liège est tiré de l'écorce du chêne-liège, *quercus suber*, qui reconstitue son écorce lorsqu'on l'en dépouille. Les pays producteurs se concentrent autour de la Méditerranée. L'Espagne et le Portugal fournissent 80 % des besoins mondiaux et le liège y est de la meilleure qualité. Les meilleurs bouchons sont massifs, mais il existe également des bouchons agglomérés moins chers pour les vins les plus courants et de qualité secondaire. Toutefois, les vins mousseux et le champagne utilisent également des bouchons agglomérés dont seule la partie en contact avec le vin est formée de lamelles de liège massif.

La longueur du bouchon augmente avec la qualité du vin : de 38 mm pour les vins de table, il atteint 54 mm pour les grands vins.

Le liège étant un produit naturel, il existe toujours un aléa concernant sa qualité et le vigneron tolère un risque de un pour mille de produit défectueux.

Utilisé depuis le ve siècle av. J.-C., le liège reste le meilleur et le plus prestigieux procédé de « bouchage »; trois personnes sur quatre considèrent la présence d'un bouchon de liège comme la garantie d'un bon vin.

Quand coopérative rime avec qualité

Le vigneron peut élaborer son vin en effectuant lui-même toutes les opérations, mais il a alors besoin d'une structure importante, non seulement en matériel mais aussi en logistique de commercialisation. Tout cela coûte cher avec parfois une efficacité relative.

Le vigneron peut aussi décider de faire partie d'une coopérative : il s'agit d'une organisation qui regroupe des vignerons en nombre variable, parfois plusieurs centaines. Le système a l'avantage de mettre à la disposition des vignerons un matériel récent et un personnel compétent et efficace. Les coopératives ont longtemps eu mauvaise réputation mais les choses ont bien changé et, aujourd'hui, de nombreuses coopératives élaborent des vins de grande qualité grâce à des méthodes et des règles rigoureuses.
Les grandes coopératives bordelaises, après chaque livraison d'un viticulteur, effectuent un nettoyage complet du matériel qui reçoit le raisin, elles sont capables de vinifier séparément une récolte, ce qui permettra au produit de recevoir l'appellation « château ». Cette technique permet à de nombreux

viticulteurs de produire un vin de qualité sans avoir à engager des investissements importants en matériel et en personnel qualifié.

Les caves coopératives sont à l'origine de 25 % de la production dans le Médoc, elles regroupent 1 200 viticulteurs et 2 400 hectares de vigne. La cave coopérative de Listrac-Médoc fait partie de 13 caves coopératives du Médoc. Elle peut se prévaloir d'élaborer un vin de qualité, les médailles aux concours agricoles et les articles flatteurs dans la presse française et étrangère sont là pour en témoigner. La cave regroupe 68 adhérents exploitant 170 hectares de vigne, ce qui représente 25 % de l'appellation Listrac-Médoc. Le vin est commercialisé en France, en Europe et aux États-Unis. La qualité est obtenue à partir de quelques principes simples : un équipement moderne et efficace, aucun apport de raisin de l'extérieur, l'obligation pour les adhérents de livrer l'intégralité de leur récolte, une sélection sévère de la qualité du raisin. Les récoltes sont effectuées à 90 % à la main. La rémunération des adhérents varie en fonction du rendement, mais également de l'état sanitaire du raisin, de la propreté de la vendange et de la richesse en sucre. À partir de ces critères, quatre niveaux de qualité sont établis. Les raisins sont traités séparément en fonction du niveau de qualité auquel ils appartiennent. La cave met elle-même en bouteille les meilleures qualités de vin, le reste est vendu en vrac au négoce.

Le viticulteur est donc soulagé de tout le travail d'élevage du vin qui se fait à la cave, mais également de toute la dimension administrative et commerciale, qui est effectuée par la cave. Il n'a « plus qu'à » conduire sa vigne pour apporter un raisin de qualité à la coopérative. C'est à cette condition qu'il préservera son revenu à court terme, par les critères de qualité, et à long terme, par la renommée de la cave.

Quelques histoires de vignerons

Vigneron, une affaire de famille

❧ Paul Dumain, viticulteur à Montagne, propriétaire du château-Vieux-Bertin (Gironde), raconte : « Mes parents ne vivaient que de la vigne, mes grands-parents également. Dans la maison où ma femme est aujourd'hui coiffeuse, mon grand père était tonnelier. Autrefois, tout le vin se faisait dans le bois : les cuves étaient en bois, le pressoir était en bois, et bien sûr les fameuses barriques aussi. Ma vigne, c'est un héritage que j'ai fait. Mais, avant, j'ai travaillé à la SNCF. Comme beaucoup de gens de ma génération, je suis arrivé à un moment où le vin ne marchait pas très bien, juste après la guerre, ce n'était pas florissant, loin de là. Il y a eu, dans la famille, un problème de succession : ma mère était fille unique, et, quand ma grand-mère est décédée en 1949, il a fallu payer des droits de succession; en 1953, c'est mon père qui est décédé, il a fallu payer à nouveau. Et en 1956, il y a eu les fameuses gelées et 80 % du vignoble ont été gelés. Toutes ces difficultés ont fait que nos vignes se sont vendues petit à petit. Moi, j'étais trop jeune pour commencer à travailler, et mon frère, marié, était parti travailler ailleurs; ma mère n'a pas pu tenir le coup toute seule, et elle a commencé à vendre. C'est à cette époque que le Crédit agricole s'est développé et a accordé des emprunts. Mais n'ont pu supporter les emprunts que les grosses propriétés. Ce fut le début de la mort d'un village comme ici, où auparavant une famille arrivait à vivre sur une propriété de 4 ou 5 hectares. On vivait bien, on travaillait pour soi et on pouvait vivre de génération en génération. Puis, d'un seul coup, il y a eu le marasme, puis le développement du machinisme, l'arrivée des tracteurs qui représentaient de gros investissements pour les petites propriétés. Et tous ceux qui n'ont pas pu ou n'ont pas su suivre ce progrès ont coulé. Ici, nous sommes dans une région où il n'y a plus que de grosses propriétés. À l'heure actuelle, un ménage qui veut vivre de la vigne a besoin d'environ 10 hectares, plus de deux fois plus que ce qu'il fallait il y a vingt ou trente ans. Moi j'ai 1,6 hectare que j'ai gardé depuis 1979, date du décès de ma mère. Le reste a été vendu. »

❧ Yves Chopin, propriétaire à Comblanchien (Côte-d'Or), témoigne aussi : « Je suis d'une famille de vignerons depuis quatre générations et donc, tout naturellement, je me suis mis au travail, et je n'ai jamais pensé à faire autre chose. J'ai suivi une formation qui m'a permis d'obtenir un CAP en trois ans. Le gros problème dans le métier c'est la succession, avec le prix élevé des terrains, surtout si l'on est plusieurs dans la famille où un seul désire continuer l'exploitation, il a de gros problèmes pour racheter leur part aux autres héritiers. Les prix sont variables en Bourgogne : pour un bourgogne générique, l'hectare coûte autour de 200 000 francs, mais un grand cru, comme Montrachet ou Musigny, peut se négocier jusqu'à 25 millions de francs l'hectare ! Mais il y a très peu de transactions, les parcelles se transmettent de génération en génération. Actuellement, un « village » peut se négocier autour de 2 millions. Le plus cher est une partie infime de la Bourgogne. C'est quasiment impossible de s'installer à l'heure actuelle : déjà, le matériel est relativement cher, si l'on n'est pas de famille vigneronne, et, si on ne dispose pas de capitaux extrêmement conséquents, c'est matériellement impossible de s'installer aujourd'hui. »

❧ Pierre Lurton, directeur général du prestigieux château-Cheval-Blanc est issu d'une très importante famille de vignerons du Bordelais. Il est dirigeant d'une structure de luxe qui, grâce à une politique de qualité de long terme, est à l'abri des difficultés, mais en tant qu'exploitant en propre d'un vignoble dans l'Entre-deux-Mers, il est aussi un « jeune agriculteur endetté ». Malgré les avantages et les appuis dont il bénéficie, il évoque les difficultés qu'il a connues pour s'installer, l'aléa du climat qui peut mettre à mal la trésorerie, les difficultés pour obtenir les moyens d'investir. « Un vigneron, il faut vraiment qu'il en veuille pour y arriver, s'il n'hérite pas d'une propriété ou d'un arpent de vigne. Même s'il est passionné, il aura des difficultés. »

D'ailleurs château-Cheval-Blanc appartient à la même famille depuis 1832.

Devenir vigneron reste la plupart du temps une affaire de famille.

© Burdin SA / C.I.V.B. Bordeaux

Les vins de Meuse remontent la côte !

Évelyne et Philippe Antoine sont viticulteurs à Saint-Maurice-sous-les-Côtes, dans la Meuse. Pas d'appellation prestigieuse dans la région, mais ici comme ailleurs c'est toujours la même passion.

Aucun vigneron meusien ne peut vivre du vin, tous sont contraints de produire différents alcools et des fruits. Le climat est très septentrional; dès octobre, le paysage rappelle les tableaux d'hiver de Bruegel, les grands arbres noirs se découpent sur fond de ciel gris et de neige. Les Antoine ont hérité de l'exploitation et Philippe a toujours voulu être vigneron. Bien qu'ils pratiquent la polyculture par nécessité, les Antoine sont avant tout des vignerons. La production est modeste, 60 000 bouteilles, constituée de rouge, de rosé, de blanc, de gris. Son tarif comprend aussi des vins effervescents, la Champagne est toute proche et les vignobles meusiens ont longtemps alimenté en raisin les maisons les plus prestigieuses de cette célèbre voisine.
Le bonheur de Philippe Antoine et de sa femme est de travailler pour l'évolution de leur produit et donc

du vignoble de la région. Dès la fin janvier, les vins sont présentés pour les sélections aux concours agricoles, dans leur catégorie bien sûr, le vin de pays. Leur palmarès montre que les Antoine se défendent bien, nombreuses sont les médailles. Leur vin et celui de leurs collègues bénéficient du tourisme local et de l'ouverture d'esprit des consommateurs et des restaurateurs qui les font figurer sur leur carte.

Cette détermination dans la recherche de la qualité en fait les artisans du renouveau du vignoble des côtes de Meuse. Dans quelques années, grâce à la ténacité et à la constance de quelques-uns, peut-être le vin des côtes de Meuse décrochera-t-il une appellation VDQS, les Antoine y seront sans doute pour quelque chose. En attendant, le fils sait déjà ce qu'il fera plus tard : vigneron. Ce n'est pas son père qui l'y a poussé et il sait que le métier est difficile. Il faut croire que la passion est communicative.

Des viticulteurs originaux

Si vous allez à l'agence de la BNP de Nuits-Saint-Georges, vous rencontrerez sans doute M. Caillot qui la dirige. M. Caillot connaît bien tous les problèmes des viticulteurs, il est sans doute leur meilleur interlocuteur, et pour cause.

M. Caillot est un banquier peu ordinaire. Il a acquis par mariage en 1971 un hectare de vigne en métayage sur les côtes de Beaune. Il a décidé de l'exploiter lui-même, il a même pris en location un hectare supplémentaire et il est devenu un viticulteur passionné. En semaine, il travaille à l'agence, et il passe les week-ends et les vacances, avec l'aide de sa femme, à conduire sa vigne et élever son vin, un pommard de bonne tenue. Sa vigne produit chaque année quelque 3 000 bouteilles. Elle est située à flanc de coteau et le désherbage est effectué à l'aide d'un produit chimique biodégradable. Les vendanges sont faites à la main et la brouette traditionnelle est utilisée pour brûler les bois lors de la taille. Respectueux des traditions, M. Caillot fait partie de la Chorale vineuse et de la Confrérie des connaisseurs de vin.

Michel Dugelay, lui, était ingénieur et vivait à Paris, mais un jour, il a repris un vignoble de famille dans le Beaujolais, « les Vignes de Bois-Dieu ». Sa carrière de scientifique s'est arrêtée là, il est devenu viticulteur. Il envoie deux ou trois fois par an à ses clients une petite « feuille » qu'il édite sur son ordinateur personnel et qu'il a intitulée *Quelques nouvelles du Beaujolais*. Sans prétention, il y commente son travail dans la vigne, l'état des activités dans sa région et il relate l'origine des vieilles traditions, les évolutions qui se sont produites, l'origine des mots techniques et parfois cite quelques vers anciens. En voici qu'il affectionne particulièrement :

Cherches-tu femme fidèle et douce
Prends la ficelle pour la Croix-Rousse.*
Si tu la veux vive et gentille
Prends le tramvet de la Guile.
Si tu l'espères sage et pas fière
Grimpe de pied jusqu'à Fourvière.
Mais si tu veux bonheur et paix
Remplis ta cave de beaujolais.

* La « ficelle » est un funiculaire que l'on trouve sur les collines de Lyon.

Du producteur au consommateur

Myriam Huet est l'œnologue passionnée du Club français du vin qui propose à ses 40000 clients des vins de toutes les régions de France. Son travail consiste à sélectionner des vins grands et petits pour faire apprécier et découvrir des produits traditionnels ou moins connus. Elle aime, par ses découvertes de petits producteurs, « ouvrir l'esprit » de ses clients, le connaisseur français ayant souvent tendance à se cantonner aux appellations les plus connues. Seul un vin sur dix entre, après avoir été goûté par Myriam, dans le catalogue. Par cette sélection, les clients disposent donc d'un choix de vins de qualité. Brillante élève de l'Institut d'œnologie de Bordeaux, major de sa promotion, elle a d'abord créé une cave, *Le pavillon des vins*, où elle distribuait des vins de producteurs, où elle initiait les clients à la dégustation. Pédagogue, elle a publié un livre visuel sur la vie de la vigne et du vin en recherchant toujours les mots simples pour expliquer le vin. Le discours est simple, mais le fond reste exigeant. Puis elle a voulu faire son vin et, de 1988 à 1993, cette Bordelaise a acquis en fermage 8 hectares dans les Corbières. Aujourd'hui, elle fait le vin, l'achète et le vend, elle écrit régulièrement dans *L'Amateur de bordeaux* mais elle n'oublie pas comme certains professionnels « de se régaler, de boire un coup, car le vin c'est fait pour ça, pour donner du plaisir ».

Et elle explique : « L'œnologue est un scientifique qui a fait quatre ans d'études après le bac. En fait, ce sont deux années de spécialisation après un DEUG, sciences ou maths. Plusieurs matières concourent à cette formation : la pédologie est l'étude du sol, la biologie végétale s'intéresse à l'intervention du climat sur la qualité du raisin, la microbiologie décrit les organismes qui font le vin (levures et bactéries), la biochimie montre comment ces organismes travaillent, la chimie analytique permet de suivre ce travail, jusqu'à la phase de dégustation du vin. Le vin est un terroir, un climat, un plant de vigne et en même temps, ce sont tous ces phénomènes microbiologiques, il faut donc avoir de bonnes connaissances en chimie pour connaître tout ça. L'œnologue intervient au niveau de la vinification, mais de plus en plus, il intervient aussi au niveau de la vigne, car pour faire un bon vin, il faut un bon raisin. Il faut donc récolter mûr, il faut des raisins sains. L'œnologue intervient au niveau du sol, du choix des cépages, de la conduite de la vigne et comme conseil au niveau des vinifications. Jusqu'à l'arrivée de l'œnologue, on "guérissait" le vin lorsqu'il était fini, souvent en y rajoutant des produits chimiques. Aujourd'hui, l'œnologue remonte la filière pour maîtriser la qualité du raisin puis celle du vin et pouvoir "exprimer" toute la typicité du terroir. Son rôle s'est développé en amont et en aval de la chaîne de production.

Il peut également intervenir au niveau du négoce pour faire les assemblages ou des cuvées ou au moment de la mise en bouteille. » Et aujourd'hui, comme Myriam Huet, il intervient de plus en plus au niveau de la consommation, à la fin de la chaîne.

Le maître du vin

© Twin / C.I.V.B. Bordeaux

Le sommelier est l'ambassadeur du vigneron, c'est lui qui fait « passer » l'esprit du vin auprès de celui qui le consomme, il a la responsabilité de « marier » le vin avec les plats, la moindre erreur et le client « passe à côté » du vin et le sommelier de son rôle.

Olivier Poussier est sommelier chez Lenôtre. Le magazine *Cuisine et Vins de France* vient de le choisir avec quatre de ses collègues pour déterminer les vins qui doivent accompagner dix recettes qui leur ont été soumises. Ils font partie des plus grands sommeliers du monde !

Meilleur sommelier de France au cours des années quatre-vingt-dix, il termine deuxième au Championnat du monde des sommeliers à Tokyo en 1995. Non satisfait de cette place dont beaucoup se contenteraient, Olivier Poussier a repris sa préparation, soutenu par son entreprise, pour se remettre en lice et briguer à nouveau le titre suprême à Vienne en 1998. Grand amoureux de la vigne et du vin, il est capable d'en parler en technicien des plus pointus ou en esthète des plus passionnés.
Aucune tradition ne l'a mené vers le métier de sommelier, mais lorsqu'il était à l'école hôtelière, c'est la tenue spécifique du sommelier, avec la grappe à la boutonnière, qui l'a séduit et peu à peu, il s'est passionné pour le vin. À l'issue de son CAP, il est entré au restau-

rant *La Tour d'Argent* comme commis de sommelier « avec une cave superbe de 550 000 bouteilles, une clientèle extraordinaire, c'était magique...». La compétition entre sommeliers l'a vite dirigé vers une politique de concours. La nécessité d'apprendre la langue l'a d'abord conduit vers l'Angleterre. Après un passage chez Le Doyen, il met son art au service du traiteur afin d'élever la qualité du service au client.

Le vin livre tous ses secrets au palais du sommelier. Le vignoble, où qu'il se trouve sur la planète, le terroir, les cépages, les tonneaux dans lesquels le vin a vieilli, l'âge de ce dernier, rien ne lui échappe. En fait, c'est autant l'œil et le nez que le palais qui permettent au sommelier de percer l'identité du vin. L'intensité ou la légèreté de la couleur et la richesse des arômes lui sont de précieux atouts.

La dégustation à l'aveugle est un exercice qui force l'admiration du novice mais aussi du professionnel. Elle exige la maîtrise de la connaissance et du goût!

Mais attention, un sommelier, fût-il le plus grand, se trompe parfois, vaincu par les mystères du vin et l'action du temps. La perfection n'est hélas pas de ce monde!

Reconnaître les vins!

Quand on vous bande les yeux, vous n'êtes pas capable de discerner un blanc d'un rouge si on ne vous laisse pas le temps de réfléchir, même de l'eau, c'est vrai ! Tiens, vous essayerez un jour !
Vous préparez vos verres, vous bandez les yeux à la personne, vous lui passez les verres. Il faut lui en redonner sans cesse ! Un blanc, un rouge, un rouge, un blanc, un blanc, de l'eau... il faut aller assez vite. Un gars a confondu un verre d'eau avec du rouge !

Une fois, j'ai vu chez mes beaux-parents un fermier qui avait un troupeau de 300 moutons...
– Je parie mon troupeau que je ne vais pas me tromper!
On lui bande les yeux, dès le premier verre, il s'est trompé.

Il y en avait un autre que l'on n'arrivait pas à tromper. On se disait : « Celui-là, il est fort! » Sept fois, huit fois, pas moyen de l'avoir. Et un jour, il s'est trompé quand même, et on a su l'explication : il s'était mis d'accord avec sa femme, un coup de pied, c'était du blanc, deux coups, c'était du rouge, un truc comme ça... Et puis un jour, il a mal interprété. On faisait ça pour s'amuser.
Celui qui m'avait appris cela, c'était Kriter. Celui qui a donné son nom au vin. On était copains, il était du métier. Il m'avait dit : « On l'a fait, nous, avec des directeurs de grandes maisons qui étaient dans le vin toute la journée. Eh bien, c'était comme ça ! »

Petites peines et grands bonheurs

Parce qu'il travaille en communion avec la nature, le vigneron garde une certaine sérénité. Il lui est difficile de raconter ses petites peines et ses grands bonheurs. Les petites peines sont vite oubliées, il doit fouiller dans sa mémoire pour en relater quelques-unes. Le grand bonheur est quotidien, dès qu'il parle de son métier et de son vin, le vigneron authentique donne l'image de l'homme heureux. Il sait de quoi sera faite son année de travail, mais il sait aussi que rien n'est jamais gagné, que la qualité est un combat de tous les jours qui impose une remise en question constante. Chez le grand traiteur Lenôtre par exemple, il n'y a aucune politique de fidélisation, car rien ne garantit la constance de la qualité du produit. Homme d'expérience et héritier de traditions, le vigneron remet chaque année en jeu sa réputation. Il doit, avec les contraintes qui sont les siennes, donner chaque année le meilleur de lui-même. C'est cet enjeu toujours recommencé qui crée l'exaltation et le bonheur. Le vigneron est comme le sportif ou le musicien, rien ne lui est jamais acquis, mais il ne céderait sa place à personne, à aucun prix, sauf à ses enfants bien sûr à qui il souhaite transmettre ce qu'il a de plus précieux.

Le vigneron sait qu'avant l'évolution de la technique, certains étaient capables de produire de bons vins sans véritablement savoir pourquoi. Cette réalité le rend humble, il est un accoucheur de la nature sans laquelle il n'est rien, il est aujourd'hui capable de faciliter le miracle de l'avènement d'un grand vin. Il est heureux de bénéficier, souvent grâce à sa famille, d'un terroir de grande qualité, mais si ce dernier est moins prestigieux, c'est la satisfaction d'en tirer le maximum qui le motive. En tout cas, tout vigneron évoque le bonheur d'arpenter son vignoble, d'observer l'évolution du fruit, de guetter le moindre signe de maladie, d'imaginer les étapes futures, au fil des saisons et des années.

Le climat, un allié ou un ennemi...

Le climat est l'allié indispensable du vigneron, c'est parfois un microclimat, comme à Château-Yquem. Sans lui, le vigneron ne peut rien. Les vignes les plus septentrionales sont celles de Champagne, au-delà la vigne ne pousse plus guère. Ce n'est pas pour rien que les pays du Nord sont producteurs de bière et d'alcool. Plus on descend vers le sud, plus le climat est propice à la vigne. Ce n'est pas un gage de qualité, c'est une condition permissive, une facilité, mais si le climat est un allié primordial du vigneron, il peut devenir son pire ennemi.

La pluie est indispensable à la vigne mais « doit » tomber en quantité limitée, car la plante doit aller chercher loin dans le sol sa nourriture, elle doit « souffrir ».

Si le gel brûle les jeunes grappes, la récolte peut s'avérer perdue de manière définitive. En 1991, Pierre Lurton est alors le tout nouveau directeur du château-Cheval-Blanc, la gelée frappe et c'est « l'année blanche », aucun grand cru cette année-là. À Pauillac, c'est 60 % de la récolte qui disparaissent pour la même raison. Les gelées de 1991 ont fait perdre un million de francs à Jean-Paul Bougès et, comme le fait remarquer Charles Chevallier, « la gelée est un événement contre lequel on ne peut pas grand-chose ». Pour les grandes propriétés, le manque à gagner est rapidement amorti, mais pour ceux qui n'ont pas la possibilité de vendre leur produit à des prix confortables, ce sont des années de problèmes qui s'ensuivent.

En 1993, fin octobre, Château-Yquem, qui récolte tardivement, a encore 40 % de sa récolte dehors, la pluie se déchaîne, les raisins gorgés d'eau ne sont plus aptes à fabriquer le nectar mythique, ils finiront de pourrir sur pied.

La grêle constitue également une menace. Au cours des années quatre-vingt, M. et Mme Caillot venaient de replanter une petite parcelle du pinot noir qui fait la fierté de la commune de Pommard. Sur leur parcelle escarpée, le travail avait été dur. Satisfaits du travail accompli, les époux « se miraient » dans leur vigne. Mais cette nuit-là la grêle, impitoyable pour les jeunes pousses, s'est abattue, tout le travail fut mis à bas.

Rien à faire donc pour agir sur le climat, il n'y a plus qu'à attendre et espérer. Le vigneron est fataliste sur cette question, il accepte ce que le ciel lui envoie, peut-être qu'à la rigueur de cette année succédera la clémence de la suivante, avec toujours le rêve d'un millésime exceptionnel, un de ceux que l'on ne rencontre qu'une fois dans sa vie, parole de vigneron.

« Errare humanum est »

Le vigneron, du plus petit au plus grand, n'est jamais à l'abri d'une erreur. Cette dernière peut parfois s'avérer sinon dramatique, du moins rageante.

Le vin fait l'objet d'un ajout de soufre afin d'éviter l'oxydation, c'est ce que l'on nomme le sulfitage. Un directeur d'une grande propriété a connu la mésaventure suivante : pour assurer lui-même le traitement, il se saisit d'un flacon qui contient ce liquide et le verse dans la cuve. La réaction et l'odeur lui paraissent curieuses. Un employé avait utilisé le flacon vide et l'avait rempli de produit à vaisselle. La cuve, c'est le cas de le dire, fut lessivée.

Aux réunions d'assemblage d'un « château » qui se trouve en bonne place sur les cartes des plus grands sommeliers, un désaccord survient entre deux des dégustateurs. Le premier attribue à une cuve un goût de fer, ce qui est plutôt négatif, le second lui trouve un goût de cuir, ce qui l'est tout autant. Quelque temps plus tard, lorsque l'on vide la cuve, on retrouve le porte-clés que l'un des responsables de la maison avait égaré : un insigne de métal au bout d'une lanière de cuir !

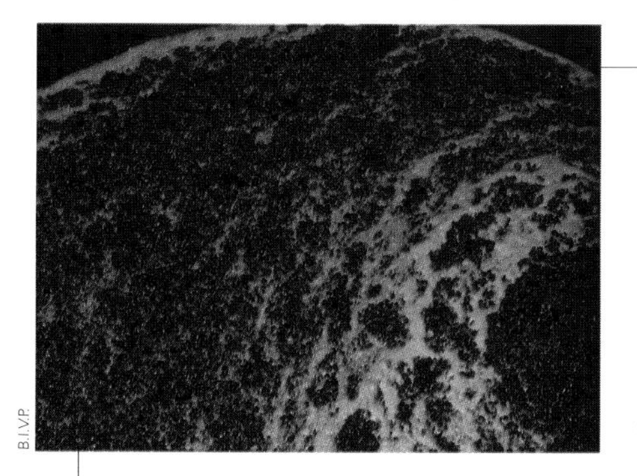

B.I.V.P.

Ce vieux vigneron n'était pas aussi chevronné quand il lui est arrivé la mésaventure suivante : il avait soutiré une cuve avec un tuyau par la méthode du siphon, méthode que l'on emploie pour soutirer de l'essence dans un réservoir par exemple. L'opération terminée, il retire le tuyau de la cuve vide afin de la nettoyer et de l'utiliser pour une autre opération. Mais il laisse le tuyau par terre et l'opération se fait en sens inverse, mais cette fois non pas d'une cuve à l'autre, mais de la deuxième cuve, remplie, vers le sol. En quelques minutes, ce furent plusieurs centaines de litres de vin qui partirent au caniveau.

Ce genre de mésaventure n'a somme toute que des conséquences individuelles et limitées, mais la plus grande des catastrophes qui ait jamais touché le vignoble français, le phylloxéra, se solda par l'arrachage de 2,5 millions d'hectares de vigne; il avait été introduit accidentellement en France, où il n'existait pas, par des importateurs qui tentaient d'acclimater des plants américains, plus résistants, en France.

Trouver un successeur

Le vigneron est toujours plus ou moins soucieux de sa propre succession. La disparition d'une propriété est ressentie comme un événement dramatique. Ceci est aujourd'hui extrêmement rare et les terroirs les plus prestigieux trouvent toujours un acquéreur, qui peut parfois être une société; mais le problème peut se poser pour les domaines de qualité médiocre. Lorsque la vigne quitte la famille, c'est un peu de l'âme de celle-ci qui s'en va. Aussi le vigneron est-il le plus heureux des hommes quand un ou plusieurs de ses enfants décident de reprendre l'activité familiale. En effet, rares sont les vignerons qui tentent d'influencer leurs enfants dans le choix du métier. Ce dernier doit être une passion que l'on peut communiquer mais pas imposer ni même forcer ou influencer. Comme le remarque Olivier Poussier, grand visiteur et connaisseur du monde des vignerons : « J'ai toujours été frappé par la sérénité qui règne dans les familles de grands vignerons, quand nous partageons le repas en toute simplicité dans la cuisine. La femme est là, les enfants discutent, tout le monde communique, cela doit faire partie de l'équilibre du vigneron d'avoir sa famille autour de lui. » Moyennant quelques précautions, on voit des familles qui restent unies pour exploiter et pérenniser la tradition familiale, toujours dans le respect des décisions des autres.

Confiant dans sa tribu, le vigneron est toujours content de voir arriver un nouveau-né. C'est peut-être lui qui, dans quelques décennies, portera haut la destinée du vin produit ici. Lui qui, alliant tradition et ouverture d'esprit, deviendra le créateur que tous les amateurs de vin et grands restaurateurs reconnaîtront en plébiscitant le fruit de son travail.

Rien n'est plus agréable pour un vigneron que de devoir changer son étiquette pour y ajouter la mention « et fils », il espère que tous ses descendants auront l'opportunité de faire de même.

Dans les régions les plus réputées, la succession pourra, dans les années futures, s'avérer difficile. Le poids du foncier est de plus en plus lourd et il est parfois difficile, sinon impossible, à un enfant qui veut reprendre l'exploitation familiale, d'indemniser ses cohéritiers. Pour les mêmes raisons, les droits de succession pourraient s'avérer difficiles à supporter et conduire à la vente d'une partie des biens voire de la totalité.

« Y a pas de secret ! »

À la question : « Qu'est-ce qui fait le bon vin? », Georges Chevalier le Bourguignon répond : « Je n'en sais rien, mais il y a des vignerons qui font toujours du bon vin, et d'autres qui ont toujours des problèmes. Souvent, il y en a qui disent : "Je fais comme ci ou je fais comme ça", en fait, chacun fait comme il peut, et le vin parfois, ça va moins bien qu'on ne pense. Mais c'est toujours le vigneron qui fait le bon ou le mauvais vin... Je vais vous citer une anecdote : une fois, un viticulteur d'Afrique du Sud qui était œnologue, qui goûtait bien, faisait une visite dans le Chablis, qui pour lui était le summum. Chez un bon vigneron de Meursault, le gars du Cap goûte et demande :
"Mais comment vous faites pour faire des vins comme ça?
– Comment on fait? On fait le vin et puis c'est tout..." C'était un gars qui notait tout, il avait sorti le calepin.
"Mais enfin vous faites comment?"
Alors qu'il répétait ça depuis un moment, le vigneron lui a répondu :
"C'est pas compliqué, on coupe les raisins, on les met dans des caisses, on les met dans le pressoir et dans les tonneaux.
– Mais vous avez bien un secret?!"
Le vigneron s'est alors écrié :
– Ah si! on "touille"!
– Qu'est-ce que c'est que ça, "touiller"?
– On prend un morceau de bois, et puis on les remue tous les huit jours."
Le gars a fermé le calepin et il n'a plus rien demandé.
Pour dire qu'il n'y a pas de secret, c'est "dans la maison". Je pense que l'on ne sait pas pourquoi. Un vigneron qui fait du bon vin, qu'est-ce qu'il fait de plus qu'un autre? On peut tailler bien ses vignes, rentrer du bon raisin, prendre beaucoup de précautions et avoir un vin moins bon qu'un autre. »

Saint Vincent, patron des vignerons

De Noé à Loth, de David à Absalon, Holopherne, Babylone, la Bible propose de nombreuses paraboles montrant les méfaits de l'abus de vin. Mais consommé en quantité modérée, il est, toujours dans le Livre saint, breuvage divin. Il est le symbole du sang du Christ, comme le pain est le symbole de son corps. La vigne et le vin servent, dans la religion chrétienne, à illustrer aussi bien le vice que la vertu.

© P. Thomas / Explorer

La vigne est donc logiquement protégée par un saint patron, bien que, en fait, les vignerons aient la particularité de posséder plusieurs saints protecteurs en fonction des traditions et des régions. Mais, depuis plusieurs siècles, c'est saint Vincent qui supplante tous les autres. Les sonorités et l'orthographe de son nom expliquent sans doute en partie cela, il évoque non seulement le vin mais également l'abondance ou la privation, selon que l'on entend « cent » ou « sans », et, si l'on y ajoute le ô vocatif, on obtient son opposée, l'eau !

Le 22 janvier constitue une date attendue et importante dans les villages de France ayant une tradition vinicole. Le culte du saint a parfois survécu à la disparition de la vigne pour être par la suite un vecteur de renouveau de cette vigne, miracle que l'on peut attribuer au saint patron. Les festivités organisées lors de « la Saint-Vincent » sont l'occasion de faire perdurer les traditions, mais elles sont également un moyen de renforcer les solidarités villageoises, de développer la convivialité et d'animer les communautés. Les festivités s'accompagnent de tournées ou de « descentes » de caves qui se poursuivent tard dans la nuit. Elles constituent de véritables « embuscades » pour les novices qui se laissent entraîner, car les anciens prennent un malin plaisir à les enivrer. Gare au réveil le 23 au matin !

Passé, présent, futur

Les péripéties de la vigne

La vigne a connu une histoire curieuse. La qualité de vigne apte à donner du raisin susceptible d'entrer dans la fabrication du vin (*vitis vinifera*) n'existait jusqu'à une époque récente qu'en Europe. En effet, elle avait disparu du continent américain, sans doute détruite par le phylloxéra. La séparation des continents avait permis de sauvegarder les vignobles européens des maladies.

Donc ne subsistaient en Amérique que des variétés de vigne qui avaient l'avantage de résister aux maladies, mais l'inconvénient de donner un raisin avec un arrière-goût de renard, d'où le nom de « fox grape » que porte la variété. Ceci explique le fait que les Américains sont producteurs de bière et de whisky, boissons issues de céréales et non de raisin!

Mais, au milieu du XIXe siècle, on a voulu importer des plants de vigne des États-Unis. En même temps sont arrivées des maladies inconnues en Europe, auxquelles la *vitis vinifera* européenne fut très sensible. Il s'ensuivit une destruction massive du vignoble français à partir de 1864. Plus de 2,5 millions d'hectares furent arrachés!

Cependant, les plants américains étant résistants à la maladie, on tenta de produire à partir de plants « hybrides », mais la médiocrité du raisin issu de ces vignes conduisit à abandonner cette solution. On s'orienta donc vers la technique du porte-greffe. Il s'agit d'utiliser le pied de vigne américain qui résiste au ver du phylloxéra qui attaque les racines des plantes, et d'y greffer les parties aériennes de la *vitis vinifera*. En effet, ce sont ces parties aériennes qui conditionnent la qualité du raisin, donc du vin, la partie souterraine ne servant que de « conduit » pour apporter aux feuilles et aux fruits les éléments nutritifs dont ils ont besoin. Aujourd'hui, tous les porte-greffes sont d'origine américaine. Curieuse histoire donc qui mêle la dérive des continents, les échanges commerciaux et la biologie végétale. Sans la séparation des continents, le vin aurait peut-être disparu de la planète, alors qu'aujourd'hui les porte-greffes rendent la vigne plus résistante.

Puis le mouvement s'est inversé et les Américains ont importé des greffons de parties aériennes des variétés européennes pour les greffer sur leurs vignes, donnant ainsi naissance au vignoble américain, dont la majeure partie se trouve en Californie. Les cépages ont été choisis et implantés en fonction de la ressemblance des terroirs américains avec leurs homologues français. Les techniques de vinification ont été également importées. Aujourd'hui, les États-Unis sont en mesure de produire des vins qui peuvent rivaliser avec les plus grands vins français. Dans les dégustations « à l'aveugle », certains spécialistes en arrivent à les confondre!

Un ancien raconte

Georges Chevalier a 76 ans. Très jeune, il est venu à la viticulture : « Je suis d'une vieille famille de vignerons de père en fils, mon grand-père maternel a eu des médailles au Concours agricole, il y a un siècle, dans les années 1895. Mon grand-père paternel était aussi du pays, il était mi-cultivateur mi-vigneron. Mais ce n'étaient pas de grands cultivateurs, ils avaient un cheval ou deux. J'ai appris sur le tas, mon père avait été à l'école de viticulture, mais moi, l'école ne me plaisait pas beaucoup. Je ne peux pas dire que j'étais mauvais élève, tout au moins en primaire, au certificat d'études, je suis sorti deuxième du canton sur 200. L'instituteur est venu trouver mon père et il nous a dit : "Georges apprend bien, il faut qu'il aille au collège." Mais ça ne me plaisait pas. Ce n'était pas par appât du gain que je voulais travailler, parce que j'ai dit souvent que si j'avais réfléchi, je n'aurais jamais fait le vigneron, car en 1933, quand je suis sorti de l'école, ça ne marchait pas du tout, ça se vendait très mal, la vigne encore plus que le cultivateur. J'ai donc arrêté l'école après le certificat d'études, je suis du 2 novembre, j'ai passé mon CEP au mois de juin et je ne suis pas retourné à l'école. J'avais 11 ans et demi, puisque je suis de 21 !

« Je suis donc allé travailler dans les vignes. On travaillait encore avec les chevaux jusqu'en 1960, date à laquelle les tracteurs se sont développés. Certains avaient bricolé des tracteurs de manière artisanale avec des mécanos du coin, mais le gros démarrage, c'est 1960.

« Aujourd'hui, on laboure dans les vignes pour ne pas avoir d'herbe, pour ne pas la laisser grainer, mais dans le temps, tout le monde avait de l'herbe dans ses vignes. Les vignerons arrêtaient de labourer le 1er août jusqu'aux vendanges, mais s'il venait une bonne pluie pendant l'été, les graines qui se trouvaient dans le sol poussaient et le cycle recommençait, il fallait donc toujours labourer. Une année, j'en avais assez de cette herbe, j'ai donc labouré et petit à petit, l'herbe a pratiquement disparu. De ce fait, aujourd'hui, on ne désherbe presque pas !

« Mon père avait 3 hectares de vigne, aujourd'hui nous en avons 11. Après la guerre, toutes les exploitations se sont agrandies. Je suis venu à faire mon premier emprunt à 60 ans. J'aurais dû le faire plus tôt, quand j'étais jeune.

« Grâce à l'apport de la famille, j'étais implanté, j'avais le matériel de mon père. Aujourd'hui, le travail n'a pas beaucoup changé, mais il est plus facile. On sulfatait à dos, on avait un réservoir avec des bretelles. Aujourd'hui, avec la machine, on sulfate 11 hectares dans la journée.

« On se levait à 5 heures du matin, car le cheval devait "dîner" pendant une heure et demi à deux heures ! À midi, il mangeait environ une heure, mais le matin pour avoir un bon cheval qui travaille bien, il fallait deux heures. Cela nous occupait, c'est pour ça qu'il fallait se lever à 5 heures, passer un quart d'heure pour se mettre en ordre de marche avant d'aller donner à dîner au cheval, ensuite il fallait l'étriller, le faire boire, lui donner l'avoine, ensuite préparer le tombereau, mettre les charrues dessus pour être prêts à partir à 6 heures et demi, 7 heures moins le quart! On travaillait de 7h30 à midi et de 13h30 à 19, 20 heures.

« On faisait de la culture biologique. Ca me fait sourire aujourd'hui quand on parle de culture biologique, parce que, pour moi, c'est dépassé! Traiter le mildiou avec de la bouillie d'ortie... Ma génération a connu la culture biologique, il n'y avait rien pour traiter. Seul le mildiou était traité avec la "bouillie bordelaise", c'est du sulfate de cuivre neutralisé avec de la chaux. Il fallait la préparer, c'était un traitement préventif, parce que, jusqu'à maintenant, il n'y a rien de curatif contre le mildiou. Contre l'oïdium, il y avait le soufre, c'était tout. Contre les vers, il n'y avait rien. Je me rappelle en 1933, la Maison Latour qui était une grande maison avec beaucoup plus de moyens que les petits vignerons, faisait venir des Polonaises pour traiter le ver de la grappe à la nicotine. Je dis souvent : les Polonaises seraient mortes avant les vers. Il y avait l'arséniate, c'était pareil. C'est comme si on avait pissé dans un violon, ça ne servait à rien, je ne dis pas que ça n'en a pas tué quelques-uns, mais ça n'était pas efficace, s'il y avait une bonne attaque de vers de la grappe, vous ne récoltiez rien! Je cite toujours le cas, mon père avait une trentaine d'ares sur la commune d'Alose-Corton, en 33 il avait gelé, et les raisins qui avaient repoussé n'étaient pas tellement nombreux. Eh bien, j'ai été vendanger avec un gars qui était de mon âge, qui avait 12 ans, avec une remorque derrière la bicyclette, une caisse à vendange dedans, deux petits paniers à baguettes, c'était des paniers ovales faits d'osier gros comme un crayon. Eh bien on a rempli les deux paniers, et c'est tout. Et quand on est rentrés, mon père a jeté le raisin sur le tas de fumier. Les vers étaient rentrés dedans, ils avaient tout bouffé et il ne restait plus que la peau et les pépins. C'est tout ce qu'il y avait! Alors quand on me parle de culture biologique... Et si vous ne mettez pas d'engrais, vous ne récoltez rien! Moi, je mets de l'engrais organique, car ma terre est toujours bien pourvue en potasse et en acide phosphorique, et ce qui manque, ce sont les matières organiques. Avant, les vignerons ne mettaient pas d'engrais, ils n'avaient pas d'argent, ils mettaient du fumier, mais ça ne comptait pas. On en mettait dans une vigne, l'année d'après, dans une autre, il aurait fallu vingt ou trente ans pour faire le cycle. Après, quelques années avant la guerre, on a commencé à mettre un petit peu d'engrais chimique, et puis après, on a mis beaucoup de potasse. On s'est rendu compte plus tard que la potasse diminuait l'acidité du vin et que ce n'était pas aussi bon qu'on aurait pu le penser. Aujourd'hui, on fait des analyses, il y a cinquante ans, on n'en faisait pas. On peut se passer de mettre de l'engrais. J'essaie de recourir le moins possible aux engrais chimiques, car on s'aperçoit que ceux qui mettent beaucoup d'engrais chimiques ont un vin avec un pH élevé, il a donc beaucoup moins d'acidité. Nous, notre vin a toujours une acidité correcte. Le travail dans la vigne, ça n'arrête jamais. Toutes les propriétés se sont agrandies, elles ont doublé ou quadruplé, le travail en cours d'année a été facilité. Mais la taille, c'est toujours pareil, il faut la faire cep par cep, bout par bout, quand la vendange est terminée, c'est la nouvelle taille qui commence. »

Le mildiou est un champignon parasite de la vigne qui est apparu en France en 1878. Il pénètre dans les feuilles de la vigne, qui rapidement se dessèchent et tombent. La « bouillie bordelaise » est un traitement préventif traditionnel. Aujourd'hui il existe des fongicides de synthèse qui sont véhiculés par la sève et permettent un traitement curatif. L'oïdium, originaire d'Amérique, est également un champignon qui agit de manière semblable au mildiou. Son traitement consiste en un poudrage régulier de la vigne avec du soufre.

Les régions productrices

Les vignobles français sont une quinzaine qui se répartissent sur presque tout le territoire sauf la Bretagne et le centre du pays. Les plus septentrionaux sont les vignobles de la Champagne où la température moyenne ne dépasse pas 10,5 °C, mais la plupart se situent au sud et à l'est de la Loire.

Ils se sont implantés à des époques très variées. Les vignobles de Corse et de Provence datent du VIe siècle avant J.-C., alors que d'autres comme celui de Loire se sont développés au Moyen Âge. Le vignoble français a connu un essor considérable avec les conquêtes romaines et, pour ses composantes les plus récentes, il a souvent été une œuvre monastique. La Loire, l'Alsace ou Saint-Émilion en sont des exemples. Quand elles ne les ont pas créées, les congrégations ont entretenu les vignes. La légende veut même que le champagne ait été « inventé » à la fin du XVIIe siècle, par Dom Pierre Pérignon, prêtre bénédictin de Saint-Vannes, procureur de l'abbaye de Hautvillers près d'Épernay.

Jusqu'au XVIIe siècle, le vin n'était pourtant pas la boisson quotidienne des Français. Ce n'est qu'à la mort de Louis XV que cette consommation se répandit, entraînant une augmentation de la production de vins de qualité médiocre qui ont disparu aujourd'hui. C'est à partir de 1919 seulement qu'une législation spécifique se développa pour promouvoir une viticulture de qualité.

Il y a aujourd'hui en France environ 400 000 vignerons. La superficie moyenne des exploitations est de 2,5 hectares. Les exportations représentent plus de 10 millions d'hectolitres et plus de 20 millions de francs de chiffre d'affaires.

B.I.V.P.

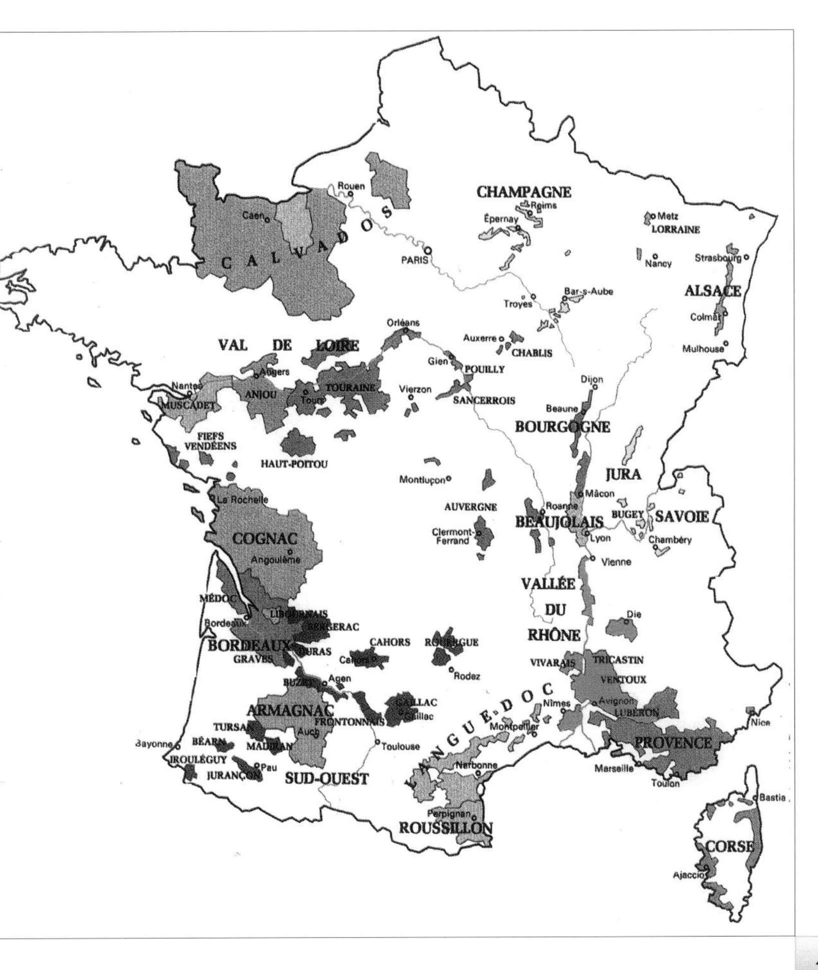

Le droit à l'appellation

Le label AOC, appellation d'origine contrôlée, est officiel. Elle est protégée : les vignerons sont soumis à des contrôles et leur vin est dégusté pour contrôler si son niveau de qualité est suffisant pour être vendu sous cette appellation.

B.I.V.P.

En Bourgogne, « pour avoir le droit de vendre son vin, explique un vigneron, il faut avoir l'agrément d'une commission qui comprend deux vignerons de chaque commune, deux représentants de l'INAO, un ou deux représentants du négoce, et un ou deux commissionnaires en vins. Soit une commission d'une dizaine de personnes qui goûtent des vins que le vigneron leur donne. Celui-ci doit donner un vin pour toute la cave. S'il a un vin moins bon, il n'est pas obligé de le donner. Il y a des vins qui sont ajournés par la commission ou refusés catégoriquement. Dans ce dernier cas, il y a une descente dans la cave pour voir pourquoi le vin n'est pas bon. Si le vin est ajourné, une commission vient chez vous goûter les vins pour voir si c'est un accident. Un président de syndicat avait proposé de goûter les vins à l'aveugle avant de les donner à la commission, car être ajourné fait mauvais effet pour la commune ! On s'est alors rendu compte que tous les ans, deux, trois échantillons étaient mis de côté. Et lorsqu'on les déshabillait, on se rendait compte que c'était à chaque fois les mêmes viticulteurs qui avaient ce problème ». Georges Chevalier en riant ajoute : « Un jour, un vigneron qui fait pas mal son vin a dit : "Allez, c'est fini, ne faisons plus de prédégustations, parce que le vigneron qui n'est pas capable de donner un vin comme il faut, il n'a qu'à faire un autre métier !" Eh bien, juste cette année-là, c'est l'un de ses vins qui a été ajourné ! On lui a dit alors : "Tu étais le seul contre ce test, et tu es le seul qui a été ajourné !" Et il a répondu : "Ah ! c'était pour voir s'ils étaient bons dégustateurs !" »

Dans la région de Montagne-Saint-Émilion, « chaque année, explique Paul Dumain, nous passons une dégustation à l'aveugle. Il y a un courtier, un négociant et un propriétaire. Vous avez des bouteilles avec des numéros. Avant, une analyse chimique est réalisée. Elle doit être conforme aux normes en vigueur. Cette année par exemple, il faut que le vin fasse entre 12 et 13°, qu'il y ait moins de 2 grammes de sucre par litre. Au vu du résultat de l'analyse, les gens dégustent. Si l'analyse n'est pas bonne, ce n'est même pas la peine de déguster. Chacun met sa note et ensuite celles-ci sont confrontées. Si deux sont en dessous de la moyenne et une au-dessus, le vin est ajourné. C'est très rare qu'un vin soit déclassé à la première dégustation. Si l'on n'est pas accepté en montagne-saint-émilion, on peut être pris en "bordeaux supérieur" par une autre commission suivant la qualité du vin. Ensuite, on peut être déclassé en "bordeaux" et ensuite, c'est de la consommation courante. Les techniques sont un peu différentes d'une région à l'autre, mais le principe est le même. Ici, les dégustations commencent au mois de mars et finissent au mois de juillet ».

Les cépages : trente élus sur plus de mille !

Il existe plus de mille *cépages*. C'est ainsi que l'on nomme les variétés de plants de vigne cultivés. Plus de deux cents sont autorisés, mais seule une trentaine entre dans l'élaboration du vin.

Allié au terroir, c'est le cépage qui donnera sa typicité au vin. Un terroir qui favorise une maturité précoce ne devra pas recevoir un cépage qui mûrit rapidement, au risque d'avoir un raisin trop mûr qui donnera un vin mou, sans caractère. Le château-Pétrus, par exemple, s'élabore à 95 % à partir de merlot, cépage à maturité précoce, idéal pour le terroir argileux de ce grand cru. À un kilomètre de là à peine, le château-Cheval-Blanc se compose de 60 % de cabernet franc et de 40 % de merlot. Implantés en fonction de la particularité des terroirs, ces deux cépages permettent, « merlot enfermé dans une gangue de fraîcheur » (Lurton), de tirer au mieux parti du sous-sol.

Gamay

Le raisin doit arriver aux cuves dans le *meilleur état possible*. Cet état dépend de différents facteurs. D'abord, la maturité que le vigneron surveille constamment par des prélèvements qui sont effectués régulièrement. Dans le Beaujolais, la date des vendanges (le ban) est officielle. L'administration la détermine à partir des informations des viticulteurs de la région. Cette particularité est une réminiscence de l'Ancien Régime, sous lequel le seigneur interdisait à ses paysans de vendanger avant lui afin d'éviter toute concurrence. Lorsque le raisin est mûr, la vendange doit être faite très rapidement. Degré alcoolique, arômes et caractère dépendent de la maturité.

Chardonnay

Il faut aussi surveiller l'état sanitaire et l'intégrité du fruit : en effet, la vigne a fait l'objet de traitements et la baie doit arriver intègre aux cuves ou aux pressoirs. La meurtrissure des baies favorise le développement des maladies (notamment cryptogamiques) et met en péril la qualité du vin en y introduisant des caractéristiques étrangères au fruit et au terroir.

L'âge de la vigne est également un facteur important : le vigneron ne recherche pas la productivité. Un rendement important n'assure pas un raisin de qualité. Son but est même de maîtriser les rendements. Les jeunes vignes et certains cépages sont surveillés de près et si le rendement s'annonce trop important, le vigneron effectue les « vendanges en vert ». Elles consistent à couper alors qu'elles sont encore vertes, une partie des grappes dans le but de limiter la production et d'assurer aux grappes que l'on conserve une qualité maximale. Les vignes les plus vieilles, certaines atteignent 80 ans, sont les moins productives en quantité mais les plus productives en qualité.

Pinot

Vins rouges, vins blancs, vins rosés

Ce qui donne sa couleur au vin rouge, c'est la macération du jus avec le moût, c'est-à-dire les matières de la baie, peau, pépins. C'est au contact de ces matières que le jus de raisin se colore et se charge en tannin. Afin de favoriser cet échange, le vigneron doit effectuer des remuages. En effet, un « chapeau » se forme en haut de la cuve, car la densité du jus est plus faible que celle des matières qui doivent être mélangées constamment au jus pour faciliter l'échange et la fermentation par apport d'oxygène.

Le vin blanc quant à lui, tire ses caractéristiques de la technique de vinification. On peut, comme en Champagne, élaborer un vin blanc à partir de raisin noir! Le vin blanc s'obtient sans macération. Une fois la vendange pressée, le jus est séparé des matières par « débourbage ».

Le vin rosé résulte des deux techniques de vinification précédentes. Certains cépages sont pauvres en éléments colorés, la macération n'apportera donc que peu de couleur. Mais le vin rosé peut être élaboré à partir du même fruit que celui qui donne le vin rouge, il suffit alors de n'opérer qu'une macération courte de douze à quarante-huit heures.

Cognac

Dans la région de Cognac, les vignerons ont une activité particulière. Ils traitent leur raisin de façon à obtenir un vin qui fera l'objet d'une distillation et donnera le célèbre cognac. Si la technique de base reste la même, l'objectif diffère. En effet, le vin n'est pas destiné à être bu. Ces vignerons, cependant, élaborent parfois un vin à boire, la plupart du temps pour leur propre consommation; dans ce cas, ils suivent la technique classique de traitement, afin d'obtenir un produit agréable à boire.

Mais le vin qui entre dans la fabrication du cognac est différent : il n'a par exemple qu'un degré d'alcool faible, 7 à 9°; les bonnes années, ce degré peut monter à 10°. Ce vin ne fait jamais l'objet d'ajout de sucre (chaptalisation) dont peuvent bénéficier les vins à boire.

Le vin subit une double distillation, technique héritée des Hollandais qui, au XVIe siècle, la mirent en pratique pour permettre à l'alcool de voyager : le vin était trop fragile et ne supportait pas le transport... Pour cela, le vin est porté à ébullition dans des alambics de cuivre pour la plupart, il dégage des vapeurs d'alcool qui sont refroidies lors de leur passage dans un serpentin. Les vapeurs retrouvent donc leur état liquide : c'est l'eau-de-vie qui entrera dans la fabrication du cognac. Cette eau-de-vie est alors incolore, c'est le vieillissement en fût de chêne qui lui donnera sa couleur ambrée.

© A. Danvers / B.N.I.C.

Certains vignerons élaborent leur cognac et l'élèvent eux-mêmes. D'autres préfèrent le vendre aux grandes maisons qui se chargeront de l'assemblage et de l'élevage. Rémy-Martin en fait partie. L'entreprise travaille avec 1 800 vignerons et 500 bouilleurs de cru qui sont soumis à des contraintes de qualité extrêmement sévères. Georges Clot, le maître de chai, est responsable de la qualité, c'est lui qui décide des assemblages. Un cognac peut résulter de plusieurs milliers d'assemblages, jusqu'à 3 000, car on assemble des cognacs qui peuvent avoir plusieurs décennies de différence d'âge! Arrivé au début des années soixante-dix dans la maison, il est devenu en quelques années un maître de chai modeste mais estimé et respecté. « Le maître de chai est un point central vers lequel convergent un certain nombre d'aspects, je ne dirai pas mystiques, mais plutôt mystérieux, il a une image de chef d'orchestre, de compositeur. Je crois que c'est plus un travail d'artiste qu'une œuvre scientifique. »

© B. Verrax / B.N.I.C.

du terroir qui donne toutes ses qualités au raisin, puis au vin et à l'alcool qui en sera tiré.

Le cognac comme le vin s'évapore en vieillissant. Cette évaporation alliée à l'humidité favorise le développement sur les murs des chais d'un champignon microscopique qui noircit tous les bâtiments : ici on appelle cela « la part des anges ».

À consommer avec modération

La région de production, autour de Cognac, est divisée en six zones de qualités différentes. Plus la concentration en calcaire est forte, meilleure est la qualité. Le calcaire joue un rôle de régulateur thermique et hydrique, maîtrisant lumière, chaleur et alimentation en eau de la vigne. La pauvreté du sol contraint la vigne à aller chercher sa nourriture en profondeur et la rend moins dépendante des conditions de surface. On peut voir encore une fois que c'est la spécificité

L'alcool peut constituer un danger pour l'organisme, il est à l'origine de différentes maladies graves, mais consommé en quantité raisonnable, c'est-à-dire en petite quantité, il constitue un agent protecteur contre les maladies cardio-vasculaires ou la maladie d'Alzheimer par exemple. Pensons-y au moment de l'apéritif!
Ce dernier est souvent l'occasion de déguster des boissons étrangères comme le whisky ou le gin, dont la

teneur en alcool est élevée, environ 40°, et dont la saveur est peu raffinée si on les compare aux produits issus du terroir français. D'ailleurs, jusqu'à la dernière guerre mondiale, lorsque le whisky n'était pas répandu en France, c'était la « fine à l'eau » qui constituait l'apéritif le plus courant. La fine à l'eau est une boisson composée de cognac auquel on ajoute de l'eau. Si le degré de départ est identique à celui des alcools forts, l'adjonction d'eau fait fortement tomber ce degré. Aujourd'hui, les Français, pour l'apéritif, proposent de plus en plus de vin, rouge ou rosé. En effet, la qualité des vins consommés permet de les déguster pour eux-mêmes et non plus seulement en accompagnement. Le vin blanc, avec un fond d'alcool de cassis, de Dijon bien sûr en hommage au chanoine Kir dont ce cocktail porte le nom, est également très apprécié. Mais le vin qui à l'apéritif représente le mieux l'élégance, le plaisir et la fête reste le champagne, ambassadeur de la France à travers le monde!

Sans être chauvin, force est de reconnaître avec tous les étrangers que la France est le pays du vin de qualité, nous aurions donc tort de ne pas en profiter... avec modération !

Je voudrais vous dire

Château Cheval-Blanc

Devenir vigneron

Le métier de vigneron a fortement évolué depuis quelques décennies, et s'il est difficile de s'installer en partant de rien, la formation est primordiale. Il est frappant de voir que, comme pour les autres catégories professionnelles, le niveau de diplôme augmente d'une génération à l'autre : le CAP pour les soixante ans, un bac technique pour les quarante ans et, pour les plus jeunes, le BTS apparaît de plus en plus indispensable. D'autant qu'il existe des BTS spécialisés dans les métiers du vin avec des options variées. Difficile d'être vigneron sans avoir des connaissances en matière biologique, pour comprendre le développement du fruit et l'élevage du vin, en matière chimique, pour le traitement de la vigne. Mais aujourd'hui, la commercialisation prend de plus en plus d'importance et il est quasiment indispensable de maîtriser une langue étrangère, l'anglais principalement. Le vigneron doit également être un bon gestionnaire, car une exploitation exige des investissements lourds, un endettement auprès des banques. La dimension financière est rendue particulièrement délicate par l'importance du climat : l'année 91 par exemple a été une « année blanche » pour certains propriétaires qui n'ont rien produit, entraînant un manque à gagner considérable.

Charles Chevallier est fils de vigneron du Sud de la France, près de Montpellier, bac, école d'agronomie, ingénieur agricole (il a exercé son art dans différentes régions viticoles françaises : Armagnac, Bourgogne, Loire puis Lafite-Rothschild à Pauillac) : « Je crois que de toute façon, une formation solide est de plus en plus indispensable. Nous ne sommes plus au temps où l'on faisait de la viticulture et de l'œnologie empiriques, cela devient de plus en plus scientifique, c'est un fait. Il y a eu de très gros progrès en œnologie dans les années soixante, et depuis les années quatre-vingt, c'est la viticulture qui a évolué pour avoir une matière première de qualité : au niveau de la nourriture de la vigne, chimique ou naturelle, il faut connaître les sols sur lesquels on travaille et la protection phytosanitaire qui est extrêmement importante pour obtenir des produits qui soient d'une part relativement écologiques, dans la mesure où l'on regarde de très près s'il n'y a pas de résidus, et d'autre part, qui soient efficaces. Les produits actuels permettent, même si la situation est défavorable, de sauver une récolte alors qu'il y a quinze à vingt ans, une mauvaise année et le pauvre vigneron ne sortait rien! »

La formation est devenue indispensable

De nombreuses formations permettent de se spécialiser dans le métier de vigneron ou dans les métiers qui gravitent autour de celui-ci. Les métiers satellites sont plus accessibles que le métier de vigneron lui-même, fortement marqué par la tradition familiale.

Les établissements d'enseignement secondaire forment au métier de vigneron. Il est de plus en plus conseillé de suivre une formation avant de se lancer dans l'élaboration de son vin. Les formations dispensées sont constituées non seulement d'études théoriques, pratiques concernant la production de vin sur le plan technique, mais aussi de matières de culture générale, de langues et de gestion qui prennent une place de plus en plus importante dans le métier.

Le handicap majeur pour l'exercice de ce métier reste toutefois le prix du foncier. Il est en effet très difficile, du fait du prix qu'atteignent les terres à vigne, de s'installer si l'on ne dispose pas d'une propriété familiale. Aujourd'hui, la quasi-totalité des vignerons, à de très rares exceptions près, est issue de familles de vignerons, ils bénéficient ainsi non seulement des terres, mais également d'un savoir-faire qui remonte parfois à plusieurs générations.

La formation d'œnologue s'acquiert dans deux écoles en France : la prestigieuse faculté d'œnologie de Bordeaux et la faculté de Montpellier. Il y a également une école à Dijon, une à Reims, spécialisée pour la production de champagne, et une petite à Toulouse. La première, la plus connue et la plus cotée, est plutôt axée sur la vinification. À Bordeaux, c'est Ulysse Gayon, collaborateur de Pasteur, qui dès le début du siècle a dispensé les premiers cours de viticulture et d'œnologie. La formation débute aujourd'hui à l'issue d'un DEUG de sciences, c'est donc quatre années d'études après le bac. Il existe également des écoles à l'étranger mais les élèves du monde entier viennent étudier en France.

Le métier de sommelier fait l'objet d'un CAP, d'un BEP ou d'un BT. Les écoles hôtelières délivrent ces diplômes assortis d'une mention sommellerie, mais comme le métier de vigneron, ce sont les années passées comme commis dans les caves des « grandes maisons » qui permettent d'acquérir une véritable compétence et de porter dignement la « grappe ».

Si l'on met à part le métier d'œnologue, pour lequel la formation théorique est primordiale, la plupart des métiers du vin s'apprennent largement sur le terrain, à force d'expérience, avec parfois des erreurs, d'observation, de tradition et de temps. On n'est pas instantanément un bon vigneron, ni un bon sommelier. Plus que dans tout autre métier, la passion est à la fois un gage et une condition de la réussite. Il n'est pas un vigneron digne de ce nom qui ne soit amoureux et respectueux de son terroir, de sa vigne et de son vin. À ce titre, il est intéressant de noter que le rêve d'un sommelier ou d'un œnologue, si grand soit-il, est souvent de « faire le vin », de devenir fût-ce un temps, vigneron.

Soyons réalistes

L'accès au métier n'est pas aisé, les témoignages des vignerons ne sont pas très encourageants. L'argent constitue une barrière importante. Mais il convient de ne pas se décourager, il existe des métiers annexes que l'on peut exercer dans les grandes maisons, avec l'espoir, après avoir réussi dans le métier, de trouver une vigne en gérance. Écoutons tout de même quelques témoignages.

Jean-Paul Bougès : « D'abord, pour vivre heureux, il faut vivre petit et caché, si on peut avoir des revenus autres pendant quelques années, ce ne sera que mieux, il faut des sous parce que c'est un métier de riche : pour planter un hectare de vigne, il faut compter 100 000 francs, sans le prix de la terre, qui est, dans cette région du Bordelais de 20 à 25 000 francs environ. Il faut donc démarrer petit, faire de la qualité

© Guilhem-Ducleon / CIVB Bordeaux

et commercialiser soi-même. Il vaut mieux commencer avec 5 ou 6 hectares et tout commercialiser en clientèle particulière, plutôt que de faire beaucoup et de commercialiser en grande surface. Il faut jouer la carte de l'exploitation familiale, aller jusqu'au bout du produit pour récupérer la valeur ajoutée. Mais ce n'est pas forcément moins de travail, car la vente au particulier est une occupation de tous les jours, du samedi, du week-end, pendant les foires...»

Charles Chevallier, qui sait de quoi il parle, considère que « l'avenir se trouve dans une viticulture de qualité car les Français boivent moins mais boivent mieux ». Cette exigence est conforme à la législation française qui est la plus draconienne du monde. Mais la plupart des vignerons considèrent que cela est justifié, car le vin français est aussi le meilleur du monde !

Yves Chopin : « La planche de salut, c'est la qualité. Si on veut lutter contre la production mondiale, ce sera la seule façon de s'en sortir. Notamment en Bourgogne où l'augmentation des rendements s'est faite au détriment de la qualité. »

Georges Chevalier : « Certains ont commencé avec rien du tout et ont eu la chance de finir riches. Certains sont arrivés de Pologne avec une valise à quatre nœuds comme disait mon grand-père, c'est un mouchoir au bout d'un bâton, maintenant ils sont gros propriétaires. Mais ils sont arrivés à une bonne période, car après la guerre, il y avait beaucoup de vigne en friche, le vin se vendait mal, et en économisant un peu, on pouvait acheter des terres et planter. Maintenant, c'est beaucoup plus difficile. Je pense, personnellement, que celui qui n'a rien du tout, qui n'a pas de parents vignerons, mais qui a beaucoup d'argent peut se lancer, mais celui qui n'a pas d'argent, il vaut mieux qu'il cherche à faire autre chose. »

Pierre Lurton : « Il faut avoir la patience d'attendre 10 ou 15 ans pour faire un très bon vin; malheureusement, cela pose des problèmes de trésorerie. L'argent permet d'attendre un bon millésime, d'adopter des techniques culturales de rendements bas qui sont le gage de la qualité. »

Il est possible, pour débuter, de prendre une vigne en fermage, de la développer en recherchant le maximum de qualité, en espérant pouvoir racheter les terres au propriétaire mais l'opération reste aléatoire.

Philippe Antoine : « Il faut apprendre, lire, aller voir ailleurs, en France, à l'étranger, pendant 2 ou 3 ans, et être prêt à travailler 10 ans sans gagner d'argent. »

Château
HAUT LAGRANGE
GRAND VIN DE GRAVES
1995
PESSAC-LÉOGNAN
APPELLATION PESSAC-LÉOGNAN CONTROLÉE
MIS EN BOUTEILLES AU CHATEAU
12% vol.
S.A. CHATEAU HAUT LAGRANGE
F 33850 LÉOGNAN
PRODUCE OF FRANCE
CHAMPENOISE
de Guibon
BORDEAUX CONTROLEE
BRUT
75cl
VITICULTEUR A GREZILLAC GIRONDE
Château Mazeyres
POMEROL
APPELLATION POMEROL CONTRÔLÉE
Hers Cls Querre, Propriétaires à Pomerol (Gironde)
PRODUIT DE FRANCE
1977
Appellation Côtes de Duras
S.D.V.G. Négociant à St-Loub
WHITE TABLE WINE
SOLE U.S. IMPORTERS
DENNIS & HUPPERT CO., MIAMI, FLA. & NEW YORK, N.Y.
1989
CHÂTEAU DE MIÉRY
Côtes du Jura
APPELLATION D'ORIGINE CONTRÔLÉE
P. DE BUHREN · PROPRIÉTAIRE RÉCOLTANT
MIÉRY 39800 POLIGNY
VIN D'ALSACE
SYLVANER
70cl

Lexique

Assemblage : opération qui consiste à mélanger des vins issus de cépages et de cuvées différents dans le but de donner plus d'harmonie au vin.

Bois : partie de la vigne qui a porté les grappes et qui est coupée après les vendanges pour laisser la place à une nouvelle branche que l'on appelle courson et qui poussera au cours de l'année. Les bois sont en principe brûlés sur place.

Bouchonné : défaut qui affecte le vin. Ce dernier, du fait d'un mauvais traitement ou d'un liège de mauvaise qualité, dégage un goût de moisi.

Cépage : variété de plant de vigne qui participe à donner ses caractéristiques à un vin.

Chai : ce terme désigne la cave dans le Bordelais.

Chaptalisation : opération qui consiste à ajouter du sucre au jus de raisin pour en augmenter le degré alcoolique. L'opération est strictement réglementée.

Collage : opération qui consiste à clarifier le vin par addition de protéines qui disparaissent avec les matières en suspension. Traditionnellement, l'opération se fait avec des blancs d'œufs.

Douelle : chacune des lattes de bois courbées qui forment un tonneau.

Éraflage : séparation des grains de raisin des rafles, les petites tiges qui les portent.

Fermentation : chacune des deux réactions chimiques qui transforment le sucre en éthanol et l'acide malique en acide lactique afin de rendre le vin alcoolique et de diminuer son acidité.

Œnologue : scientifique qui suit le vin du fruit jusqu'à la dégustation, afin d'en assurer la meilleure qualité possible. L'œnologue conseille le vigneron.

Ouillage : action de compléter les fûts de vieillissement du vin qui sont sujets à l'évaporation.

Retrousse : terme qui désigne les opérations consistant à relever à la fourche les grappes de raisin afin d'en faciliter la presse.

Sommelier : spécialiste du vin qui, dans les restaurants de prestige, achète, gère, fait vieillir et sert les vins.

Soutirage : prélèvement du jus dans les cuves afin de le séparer des lies.

Sulfitage : ajout de soufre dans le vin afin d'en éviter l'oxydation.

Terroir : ensemble des facteurs naturels qui caractérisent un vignoble donné (sol, exposition, climat...).

Tries : dans le Sauternes, ramassage des grains de raisin atteints par la « pourriture noble ». L'opération se fait à la main, grain par grain.

CHATEAU
LES BARA
MARTELL
V.S.O.P.
V.S.O.P.
MEDAILLON
COGNAC
ODUIT DE FRANCE
AU BERARD
1982
Bordea
Château Malartic
BORDEAUX
APPELLATION BORDEAUX CONTROLEE
JACQUES LARGE, PROPRIETAIRE A GUILLAC - GIRONDE
MIS EN BOUTEILLE AU CHATEAU
PRODUIT DE FRANCE
Ce vin provient d'une terre cultivée biologiquement sans engrais chimiques. Seuls les engrais naturels sont utilisés par Monsieur LARGE, propriétaire du château MALARTIC.
CHATEAU
RANC-POURRET
AINT-EMILION GRAND CRU
PRODUCE OF FRANCE
Château
des Jaubertes
Grand Vin
du Marquis de Pontac
Graves
Appellation Graves contrôlée
75cl
Marquis de Pontac, propriétaire-exploitant
à Saint Pardon de Conque, GIRONDE
MIS EN BOUTEILLE AU CHATEAU
Château
Haut Ferrand
POMEROL
ITICULTEUR A LIBOURNE - GIRONDE
MIS EN BOUTEILLES AU CHATEAU

Adresses

Musée du vin
5, square Charles Dickens
75 016 Paris
Tél. : 01 45 25 63 26

Musée de la vigne et du vin
1, rue Necker
11200 Lézignan-Corbières
Tél. : 04 68 27 37 02

Musée des outils de vignerons
Route d'Avignon
84230 Châteauneuf-du-Pape
Tél. : 04 90 83 70 07

Musée du vin
Palais des ducs
Rue d'Enfer
21204 Beaune
Tél. : 03 80 22 08 19

Musée municipal
13, avenue de Champagne
51200 Épernay
Tél. : 03 26 51 90 31

Musée du vignoble et des vins d'Alsace
Château confrérie Saint-Étienne
Grand'Rue
68240 Kientzheim
Tél. : 03 89 78 21 36

Musée Unterlinden
1, rue Unterlinden
68000 Colmar
Tél. : 03 89 41 89 23

Musée d'Aquitaine
20, cours Pasteur
33000 Bordeaux
Tél. : 05 56 01 51 00

Musée des Chartrons
41, rue Borie
33000 Bordeaux
Tél. : 05 57 87 50 60

Pour en savoir plus

La vigne et le vin
Ouvrage collectif
1988, la Manufacture et la Cité des sciences et de l'industrie.

Les vins de France
C. Carmenère, D. Madevon,
P. Madevon
1993, Nathan.

Le vin et les jours
É. Peynaud
1996, Payot.

Dictionnaire des vins et alcools
M. Huet, V. Lauzeral
1996, Éditions Hervas.

Le vin du ciel à la terre
N. Joly
1997, Sang de la terre.